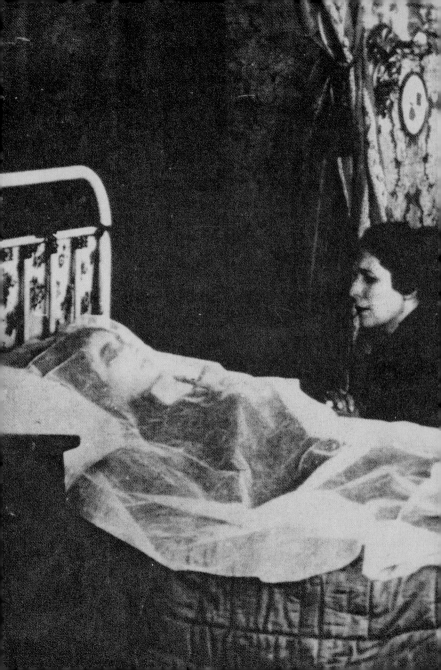

Catherine Clément, écrivain et philosophe, a publié *Vie et légendes de Jacques Lacan*, *L'Opéra ou la défaite des femmes*, *Lévi-Strauss ou la structure et le malheur*, *La Syncope (philosophie du ravissement)*, *Les Révolutions de l'Inconscient* ainsi que de nombreux romans parmi lesquels *La Sultane*, *Pour l'Amour de l'Inde*, *La Valse inachevée* (qui a pour cadre l'Autriche de Sissi), *La Putain du diable*, *Le Voyage de Théo*, *Jésus au Bûcher* et un recueil de poèmes en anglais, également consacré à l'Inde. Pour la collection «Découvertes Gallimard», elle a aussi écrit *Gandhi, athlète de la liberté*.

DÉCOUVERTES GALLIMARD
COLLECTION CONÇUE PAR
Pierre Marchand.
DIRECTION Élisabeth de Farcy.
COORDINATION ÉDITORIALE
Anne Lemaire.
GRAPHISME
Alain Gouessant.
COORDINATION ICONOGRAPHIQUE
Isabelle de Latour.
SUIVI DE PRODUCTION
Fabienne Brifault.
SUIVI DE PARTENARIAT
Madeleine Giai-Levra.
RESPONSABLE COMMUNICATION
ET PRESSE Valérie Tolstoï.
PRESSE David Ducreux
et Alain Deroudilhe.

SISSI, L'IMPÉRATRICE ANARCHISTE
ÉDITION ET ICONOGRAPHIE
Odile Zimmerman.
MAQUETTE
Catherine Schubert (Corpus),
Dominique Guillaumin
(Témoignages et Documents).
LECTURE-CORRECTION
Pierre Granet.

Pour Alain Sortais

*1er dépôt légal : septembre 1992
Dépôt légal : mars 2007
Numéro d'édition : 150084
ISBN : 978-2-07-053204-9
Imprimé en France par Kapp, Évreux*

SISSI
L'IMPÉRATRICE ANARCHISTE

Catherine Clément

DÉCOUVERTES GALLIMARD
HISTOIRE

En ce 10 septembre de l'année 1898, la matinée d'automne est si belle à Genève que les marronniers refleurissent. Sur le bord du lac, flânent les passants ; les vapeurs vont et viennent, tout est paisible. Un ouvrier traîne devant les bateaux depuis neuf heures ce matin ; il est allé s'asseoir sur un banc, devant l'hôtel Beau-Rivage, séjour privilégié des têtes couronnées. Les journaux n'ont-ils pas inventé que l'impératrice d'Autriche venait d'y arriver ?

CHAPITRE PREMIER
LA MOUETTE NOIRE

« Et chaque vague me murmurait doucement :
Laisse donc enfin ton corps épuisé
Trouver calme et repos en nos eaux de jade,
Cet instant libérera ton âme. »

Tentation, poème d'Elisabeth, impératrice d'Autriche et reine de Hongrie

Nach Genf
Caux ab 11.51.
Territet an 12.24
Territet ab 12.49
Lausanne an 1.40
ab 2.
Genf an 3.27.
Hôtel Beau Rivage

Retour
Genf ab 12.40
Lausanne an 2
— ab 2.25
Territet an 3.18
— ab 3.40
Caux 4.17.
" Il n'y avait pas de retour !!! †

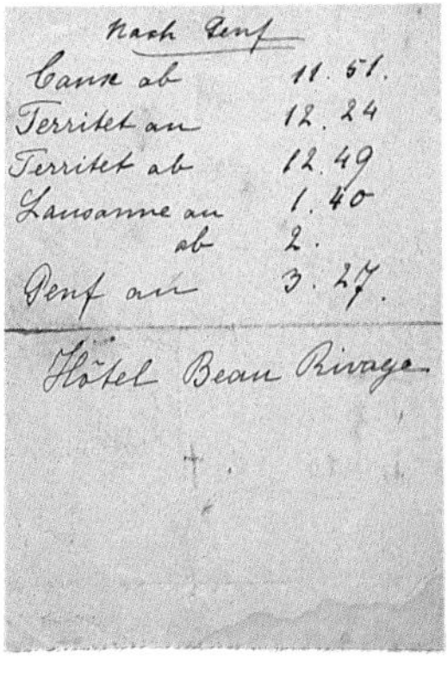

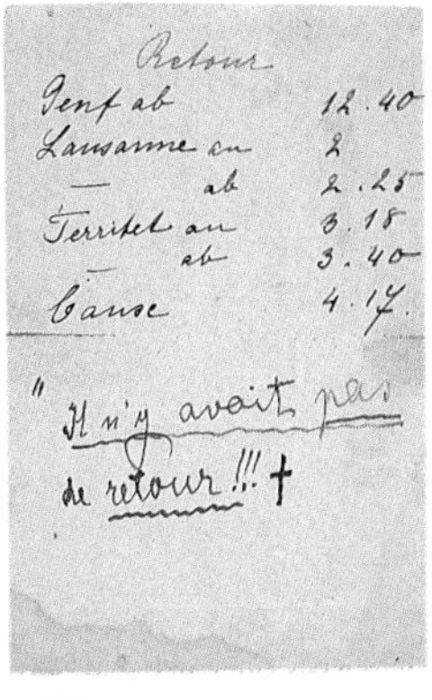

Rien n'est confirmé; mais qui sait? Le badaud attend. Surprendre la vieille impératrice qui toujours cache son visage derrière un éventail, voilà qui attire les curieux comme Diane au bain, l'invisible déesse.

L'inconnue de l'hôtel Beau-Rivage

Onze heures. Aucune dame voilée n'est sortie de l'hôtel. Le passant s'éclipse, et revient vers treize heures; un obstiné, sans doute. Justement un valet transporte de nombreux bagages jusque sur le vapeur.

A treize heures trente-cinq, deux femmes surgissent; l'une d'elles, grande silhouette noire, porte une ombrelle et un éventail. C'est elle, à n'en pas douter, d'autant que le portier et le propriétaire de l'hôtel s'inclinent sur son passage. Les deux dames se dirigent à pas pressés vers l'embarcadère. Le passant s'approche, les devance, se retourne et se précipite sur elles. Que veut l'importun?

Le passant s'arrête brusquement, titube, lève la main droite, se baisse un peu et bouscule la grande femme en noir, qui tombe à la renverse, tout étourdie. Sa compagne pousse un cri, un cocher qui passe l'aide à relever la femme à terre; quant à l'homme, certainement un pickpocket, il a disparu.

Elle se relève, les joues rougies par l'aventure; la masse de ses cheveux nattés a amorti le choc, mais il y a du désordre dans la coiffure. Son amie s'inquiète, le portier accourt, lui propose de revenir à l'hôtel, mais la dame en noir refuse poliment; tout va bien, dit-elle. A-t-elle eu peur? Oui certes, mais c'est là tout, et maintenant il faut se hâter d'attraper le bateau. Elle court à vive allure, et demande tout à coup en hongrois à sa compagne: «Ne suis-je pas très pâle?»

Dernière image de Sissi vivante: photographie prise au vol, silhouette de jeune fille, à gauche – on ne peut s'y tromper –, c'est elle. A ses côtés, sa dame d'honneur hongroise, la comtesse Sztaray.

Luigi Lucheni (à droite, saisi alors qu'il vient de frapper Elisabeth) aurait été désigné pour l'assassinat de l'impératrice le 6 septembre, au cours d'une réunion d'anarchistes. Dans sa poche, on trouve la liste des étrangers présents à Evian le 5 septembre.

Extra=Ausgabe.

Wiener

Abendblatt.

Abend=Ausgabe des „Wiener Tagblatt".

Ein Exemplar 2 kr.

Expedition und Inseraten-Bureau:
Stadt, Schulerstraße 11.

Pränumerationspreise.
für Oesterreich-Ungarn:

Samstag, den 10. September 1898.   48. Jahrgang.

Kaiserin ermordet!

...hafte, alle ... ... eine fieberhaft aufrüttelnde ... ... von verruchter Mörderhand zu ... Unsere Kaiserin ist todt!

"Les journaux austro-hongrois parlent d'un complot contre la vie de l'empereur qui aurait été découvert à Pesth. D'après mes renseignements particuliers, ce seraient des paysans hongrois qui, surexcités par des menées anarchistes, auraient résolu d'établir une mine de dynamite sur le passage de Sa Majesté. Dénoncés par une femme, ils ont été arrêtés.**"**

9 juillet 1898, extrait d'une dépêche intitulée *Complot anarchiste contre l'empereur*, envoyée par le marquis Jacques de Reverseaux, ambassadeur de France, à la Direction politique

En effet son visage a pâli; et soudain elle se plaint d'une douleur à la poitrine. C'est le coup de poing, sans doute. De loin, le portier crie que le voleur est arrêté. La dame en noir saute souplement sur le bateau; mais, arrivée sur le pont, elle saisit le bras de sa compagne et s'affaisse. On apporte de l'eau. La belle évanouie ouvre des yeux languissants. Aucun médecin à bord; une passagère s'empresse, c'est justement une infirmière. Le capitaine propose de ramener la dame inconnue à terre; mais sa compagne refuse : pour une simple syncope, ce n'est pas la peine. Trois passagers la transportent sur un banc. L'infirmière pratique des mouvements de réanimation, l'amie coupe le corset, glisse dans la bouche un sucre trempé d'alcool. La dame en noir ouvre les yeux et s'assied. Elle paraît vigoureuse : «Mais qu'est-il donc arrivé?» demande-t-elle d'une voix ferme.

Puis elle retombe. Sa compagne, pour lui donner de l'aise, délace le cache-corset de taffetas, et sur la chemise mauve aperçoit une tache grande comme une pièce de monnaie. Une auréole brune, un caillot de sang minuscule, un petit trou, comme une piqûre de guêpe...

L'impératrice assassinée

Elisabeth de Bavière, impératrice d'Autriche, reine de Hongrie, soixante ans, vient d'être assassinée par l'anarchiste italien Luigi Lucheni, vingt-six ans.

Elle ne reprendra pas connaissance. Sa dame d'honneur hongroise, la comtesse Sztaray, affolée, révèle l'identité de la blessée; le capitaine décide de rebrousser chemin. On fabrique un brancard de fortune avec deux rames et des fauteuils pliants; la dame en noir, tournant doucement sa belle tête d'un côté l'autre, respire à peine et râle. A l'hôtel Beau-Rivage, le médecin veut sonder la plaie. En vain. On déchausse l'impératrice, on la déshabille, mais elle agonise en silence. Un prêtre donne l'absolution, on convoque un second médecin qui incise une artère au cou... Plus une goutte de sang. La lime aiguisée du

Lorsqu'elle découvre la minuscule plaie sous la chemisette mauve d'Elisabeth, la comtesse Sztaray crie : «Pour l'amour du ciel, je vous en prie, accostez vite! Cette dame est l'impératrice d'Autriche. Elle a une blessure à la poitrine, je ne puis la laisser mourir sans médecin et sans prêtre. Accostez à Bellevue. Je l'emmènerai à Pregny, chez la baronne de Rothschild.» Mais le capitaine répond qu'on n'y trouvera ni médecin ni voiture et fait mettre le cap sur Genève. Sur la civière improvisée, son corps à l'agonie est couvert d'un manteau qu'elle appelait *Trani*; on protège sa tête avec une ombrelle. Sur son visage coulent des perles de sueur, elle a perdu conscience.

Le couple impérial (ci-contre) pendant l'une de leurs rares retrouvailles, à Menton en mars 1894.

Marie-Valérie, dernière fille de Sissi, conçue en Hongrie comme un cadeau à ce pays, aura été la seule enfant que Sissi put élever elle-même; c'est «la chérie» — et la seule. De l'archiduc François-Salvator, elle aura quatre fils et cinq filles.

Erzherzogin Valerie mit Kindern.

jeune assassin a frappé d'un coup si bien ajusté que l'impératrice ne l'a pas senti; très lentement son cœur cesse de battre, et à deux heures quarante de l'après-midi, sans souffrir, elle disparaît d'un monde dont elle ne voulait plus.

Depuis près de dix ans elle n'aime plus la vie. En 1889, son fils Rodolphe, époux de Stéphanie de Belgique et héritier de l'empire, est retrouvé mort sur le lit de sa chambre dans le pavillon de chasse de Mayerling; à ses côtés, la jeune baronne Marie Vetsera, une enfant, a la tempe trouée d'une balle; ses mains jointes tiennent une rose

François-Joseph et Sissi à Bad Kissingen (à gauche); François-Joseph et l'actrice Catherine Schratt (ci-contre). L'importante correspondance entre l'empereur et «l'amie», publiée à Vienne en 1992, ne permet pas de conclure à autre chose qu'une amitié amoureuse, favorisée par Sissi. François-Joseph couvre son amie de bijoux et tente vainement de l'empêcher d'imiter en tout l'impératrice, qui s'en amuse follement et écrit dans un poème adressé à l'empereur :
«Voici qu'arrive ton ange joufflu
Avec les roses de l'été.
Elle arrive avec sa baratte
Et se met à battre le beurre;
Elle mouille ses cheveux de cognac
Puis apprend à monter à cheval.
Elle se serre le ventre dans son corset
Dont toutes les coutures éclatent,
Elle se tient droite comme une planche
Et singe encore bien des choses.
La maisonnette aux géraniums
Tout y est fin et délicat :
Elle s'y prend pour Titania,
Cette pauvre grosse Schratt!»
Ce poème, rapporté par Marie Larisch n'est pas inclus dans le recueil des poésies choisies par l'impératrice.

ultime. La tête de Rodolphe est éclatée; il a trente ans. Il tient encore le pistolet du drame dans sa main droite. Supposé assassin, suicidé et adultère, l'héritier du trône s'est imaginé la mort la plus scandaleuse aux yeux des sujets de l'empereur François-Joseph, et la plus douloureuse pour ses parents. Elisabeth d'Autriche décide de porter un noir éternel, et distribue ses vêtements; pour nourrir ses sentiments, il ne lui reste plus que sa fille préférée, Marie-Valérie, qui se marie en 1890. Dès lors, Elisabeth, libre de toute attache, commence ce qu'elle appelle «le vol de la mouette».

Comment! Aucune attache? Et son époux, l'empereur?

«Le vol de la mouette»

N'anticipons pas. En 1890, François-Joseph gouverne avec un sérieux inébranlable l'immensité des peuples qui composent son empire, et s'adonne secrètement à un adultère platonique avec une célèbre actrice, Catherine Schratt, que son épouse l'impératrice appelle tendrement «l'amie». C'est elle qui la lui a présentée, c'est elle qui la lui a donnée. L'actrice vénère Elisabeth et la copie, et l'impératrice est satisfaite : elle a dérivé sans scandale la trop grande affection de son époux, elle est libre.

Wiener

Nr. 26.   Donnerstag, den 31. J

Amtlicher Thei

Seine k. und k. Hoheit

Kronprinz Erzherzog Rudo

30. d. Mts., zwischen 7 u

seinem Schlosse in Meye

Herzschlagch verschied

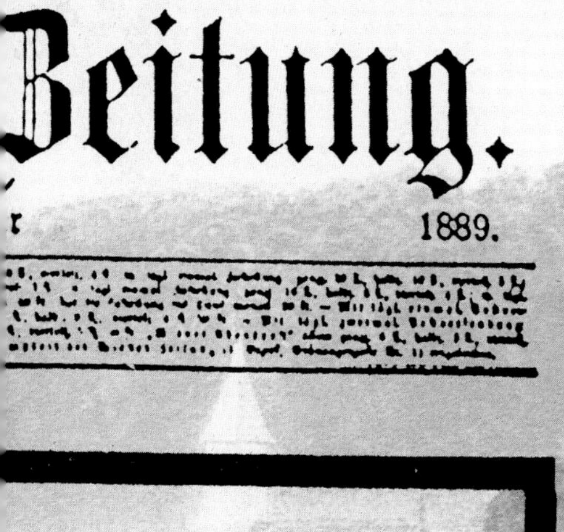

Beitung.

1889.

er durchlauchtigste

h ist gestern, den

8 Uhr früh in

ng bei Baden, am

La fiancée de la Mort

La petite baronne Marie Vetsera, dix-sept ans, follement éprise du prince héritier, lui fut présentée par la cousine de ce dernier, la comtesse Marie Larisch-Wallersee, grande amie de l'impératrice. Le Kronprinz, dit-on, cherche une compagne pour le passage de la mort; Marie aurait accepté le double suicide. Sa propre mère, Hélène, baronne Vetsera, avait elle-même cherché à séduire Rodolphe pour son compte, sans succès. La longue chevelure fauve de l'adolescente y parvint.

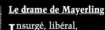

Le drame de Mayerling

Insurgé, libéral, instable, Rodolphe s'oppose violemment à son père, à qui il reproche son absolutisme impérial. Le 28 janvier 1889, une scène éclate entre eux, terrible; le 29, Rodolphe part pour le pavillon de chasse de Mayerling, où on le retrouve mort le 30, aux côtés de sa jeune maîtresse. Encore aujourd'hui le drame de Mayerling suscite d'innombrables rumeurs, auxquelles s'ajoutent les révélations posthumes qu'aurait laissées la dernière impératrice d'Autriche, Zita, enterrée solennellement à Vienne en 1989. Complot venu de l'étranger, assassinat politique, révolution fomentée par le prince héritier et sanctionnée de l'intérieur, ou double suicide? La mort de son fils confère à Sissi l'aura tragique de la *mater dolorosa*, l'une de ses images les plus populaires.

Le vol de la mouette durera jusqu'au poinçon de Lucheni. Douvres, Porto, Cintra, Gibraltar, Alger, Ajaccio, Naples, Corfou, Athènes, Troie, Carlsbad, Zurich, Lucerne, Genève, Territet, Alger encore, Corfou derechef, Alicante, Cap Martin, Corfou, Méran, Paris, Biarritz... De temps à autre, le grand oiseau noir daigne se poser à

Vienne et, pour quelques jours, retrouve son maître et seigneur qui ne lui refuse rien. Si! Il n'acceptera pas qu'elle aille jusqu'en Tasmanie ; pour le reste, il la supplie de se protéger des anarchistes qui sillonnent l'Europe et traquent les têtes couronnées. Peine perdue : tout au plus accepte-t-elle de puiser dans le réservoir de ses innombrables titres celui de «comtesse Hohenembs» ou, plus anodin encore, le nom de «Mrs Nicholson»... Mais si elle tient à l'incognito, c'est moins par prudence que par indépendance. Car elle hait le monde et fuit les fâcheux, partout.

Ses bateaux s'appellent le *Chazalie*, le *Miramar*, le *Greif*, le *Princess Louise* ; ce sont souvent de vilaines carcasses dont elle raffole, surtout pendant

En Europe, Sissi voyage dans un wagon long de 9 mètres et lourd de 18 tonnes, sans armoiries, construit en 1873 à Prague. D'une couleur vert sombre et anonyme à l'extérieur, il est fastueux à l'intérieur, où l'argenterie et la porcelaine portent les armes impériales. Il comporte une chambre, un salon-boudoir et des toilettes. L'éclairage est assuré par des lampes à pétrole.

les tempêtes. Quand se déchaînent les vents et que les vagues bondissent sur le pont, Elisabeth, attachée au mât ou à une chaise, se moque du mal de mer de sa suite. «Je fais comme Ulysse parce que les vagues m'attirent», dit-elle en éclatant de rire. A terre, elle marche pendant huit ou neuf heures,

Yacht impérial, le *Miramar* (ci-contre et en page de droite) est l'un des bateaux préférés de Sissi, qui embarque à Trieste pour ses voyages en Méditerranée. Elle utilise aussi pour des déplacements plus longs le yacht de la reine Victoria, le vapeur *Osborne*. Mais au fond peu importe le navire car, dit-elle, elle traverserait «l'océan entier sur une barque».

d'un pas vif, jusqu'à l'épuisement ; personne ne parvient à la suivre, ni sur le pont des bateaux par gros temps, ni dans ses marches forcées. L'une après l'autre, ses dames d'honneur, toujours hongroises, déclarent forfait ; elle aura plus de dix lecteurs grecs attachés à sa personne, gentils troubadours éperdus dont elle sera l'inaccessible étoile.

Sous l'éventail, la vieillesse

Ceux d'entre eux qui ont laissé des mémoires s'émerveillent de sa beauté et de l'élévation de son âme ; Marinaky, et surtout Christomanos, touchant petit bossu amoureux, ne tarissent pas d'adoration. Mais le plus lyrique des soupirants ne peut dissimuler le vieillissement naturel de la plus belle femme du XIXᵉ siècle : Elisabeth souffre cruellement de sciatiques qui la font hurler en secret, et son visage, tanné par le soleil, est si ridé qu'elle se cache derrière un éventail de cuir. C'est ainsi qu'elle apparaît à ses contemporains : silhouette de jeune fille en noir et visage masqué ; à la main, une ombrelle blanche, et l'éternel éventail. Aucun portrait de ses dernières

"Je suis comme un oiseau de tempête, dit-elle, je fais carguer toute la voilure pour ne pas me priver de la vue des vagues en fureur ; et chaque fois qu'une lame déferle sur le pont, j'ai envie d'éclater en cris de jubilation. En feriez-vous autant ? – Peut-être bien, Majesté. Du reste, le voyage jusqu'à Corfou n'offre plus maintenant de pareilles épouvantes. – C'est malheureux ! Voilà un des inconvénients de la civilisation."
Cité par Christomanos

années, simplement quelques traces fugitives, dérobées par accident photographique. Simplement le vol d'une grande mouette endeuillée, et qui passe.

Force lui est cependant d'apparaître aux bals officiels de la Hofburg, à Vienne. Splendeur et chagrin : les femmes sanglotent devant leur impératrice en grand deuil, invisible derrière l'éventail. En 1896, elle fera, pour la Hongrie, ses amours, une exception remarquée : c'est le millénaire du royaume, elle assiste à la réception du Parlement. «La voici, tout en noir, dans la salle du trône, au château royal, vêtue de la robe hongroise, garnie de dentelles : elle est l'image de la douleur. Un voile noir descend de ses cheveux sombres; épingles noires, perles noires et, dans tout ce noir, un visage blanc comme le marbre et d'une tristesse infinie... «La *mater dolorosa*»,

En dehors des séances de photographies posées, l'impératrice dissimule son visage derrière son célèbre éventail de cuir. Ici, la seule photographie qui parvint à surprendre le geste vif de l'impératrice invisible, dans le parc de son château hongrois de Gödöllö, près de Budapest.

raconte un témoin. Un vibrant salut l'émeut, anime la statue dont les yeux s'éclairent, elle tire un mouchoir pour sécher ses larmes... C'est déjà fini.

Un jour, l'actrice Rose Albach-Retty l'aperçut dans une auberge d'Ischl : sa dame d'honneur s'étant éclipsée, Elisabeth, qui se croyait seule, souleva son épaisse voilette noire, ôta son dentier, le rinça dans un verre d'eau et le remit aussitôt ; le tout «avec une grâce nonchalante». C'était l'année de sa mort.

Esthéticienne maladroite

Contre ce naufrage elle se bat. Massages, marches, bains de vapeur suivis de bains à sept degrés, anneaux et gymnastique ; régime. Des régimes, elle en essaya beaucoup, avec la curiosité et l'ascétisme de nos

Pendant la fête du millénaire de la Hongrie à Budapest, le 8 juin 1896, l'empereur et l'impératrice écoutent le discours du président de la Chambre des députés, Désiré Szilagyi. «Aucune expression ne passe sur le visage d'Elisabeth, commente le *Pesti Hirlap*. Elle reste pâle et immobile. L'orateur nomme aussi la reine. Elle ne bronche pas ; mais soudain retentit un grand *Eljen*. [...] Alors le visage majestueux, jusque-là insensible, s'anime.»

Les chèvres, pour le lait frais quotidien, embarquent sur le yacht anglais *Chazalie*.

Emploi du temps de l'impératrice vers 1880 lorsqu'elle est à Vienne : lever, cinq heures en été, six heures en hiver, bain froid, massages ; gymnastique, petit déjeuner frugal ; coiffure (trois heures), correspondance, lecture ; habillage pour l'escrime ou le cheval. Déjeuner en quelques minutes ; promenade de plusieurs heures à pas rapides ; dix-sept heures, habillage et nouvelle coiffure ; si nécessaire, dîner en famille à dix-neuf heures, puis conversation avec Ida Ferenczy et toilette de nuit. A quoi s'ajoutent les exercices aux barres et aux anneaux, dont l'aménagement à la Hofburg suscita des malentendus : on les crut destinés à l'empereur et aux archiducs.

belles d'aujourd'hui : rien que des fruits, ou rien que du lait – et les vaches ou les chèvres l'accompagnent sur ses bateaux –, café noir, viande froide et œufs... Elle n'évite aucune des erreurs qui depuis lors sont répertoriées : exposer sa peau au soleil (pendant les marches), fatiguer le cœur, n'avoir aucune alimentation variée, bref, elle fait tout en force, anticipant de très loin les comportements esthétiques du XXᵉ siècle, et payant durement le prix de ses efforts.

Elle est souvent dépressive, comme on peut l'être aujourd'hui après n'importe quel régime amaigrissant. Un de ses médecins constate des œdèmes aux chevilles, symptôme propre à la sous-alimentation ; mais c'est un autre médecin qui, pour éviter la sciatique, lui avait conseillé un régime très strict. Sa seule sagesse fut de boire, dans un gobelet d'or pendu dans un étui à sa ceinture,

de l'eau, beaucoup d'eau. Un mètre soixante-douze, cinquante kilos, une taille de guêpe : Elisabeth a tout d'un mannequin d'aujourd'hui.

«Elle est folle»

Au pays de la *Sacher Torte* et des pâtisseries, cela sonne comme une provocation. Les Viennois, qui la détestent, la proclament folle à lier : comment! cette souveraine qui n'est jamais là, qui délaisse son époux, qui ne se montre pas et qui ne pense qu'à sa maigreur! N'a-t-elle pas eu l'idée de construire à Corfou une somptueuse villa, l'*Achilleion*, qu'elle dédie à Achille? Ne parle-t-elle pas plus volontiers le hongrois et le grec que l'allemand? D'ailleurs, cette famille bavaroise dans laquelle elle est née, n'y sont-ils pas tous dérangés? Le duc Max son père, son cousin Ludwig... comment pourrait-elle échapper à la trop fameuse hérédité des Wittelsbach, grande légende de la fin du siècle?

Après le suicide de son fils, elle-même n'échappe pas à ce soupçon; c'est alors qu'elle quitte ce monde et s'envole. Mais si elle s'enfuit, c'est aussi pour accomplir au mieux le difficile travail du deuil, qu'elle veut apaiser par une recherche

A l'endroit où fut retrouvé, noyé, le cadavre du roi Louis II de Bavière, cousin adoré de Sissi, une croix se dresse sur le lac de Starnberg. Pathologie de la famille maudite, les Wittelsbach? Sissi, née Wittelsbach, n'ignore pas la légende et en souffre mille morts.

Sissi autour de 1875 : une photo rare, prise à l'époque où, pour souligner son extraordinaire silhouette, elle se fait coudre ses vêtements sur elle et porte, en guise de lingerie, des bas de daim très fin. Elle dort souvent avec une ceinture de linges mouillés sur les hanches; elle soigne sa peau avec des masques de viande de veau crue ou de fraises écrasées, et prend des bains d'huile d'olive chaude, parfois presque bouillante.

systématique de la beauté. Coucher de soleil, tempête sur la mer, visage d'une jeune paysanne ou sites archéologiques, statues archaïques, poèmes, chansons, tout lui est miel pour adoucir le chagrin. Elle n'est méchante avec personne; courtoise, légèrement indifférente, elle glisse sur les autres sans jamais s'arrêter. Mais en voulant cacher ses souffrances elle les exhibe sans le savoir, et désire sa mort dont elle parle souvent comme d'un événement attendu.

Portrait d'un jeune anarchiste

Sa mort porte le nom d'un ouvrier italien émigré à Lausanne. Luigi Lucheni, maçon, est anarchiste comme on l'est en Suisse à l'époque quand on est pauvre et révolté. Sa mère quitta son village de

Ligurie pour le mettre au monde à Paris où elle l'abandonna. Des Enfants Trouvés de Saint-Antoine, on l'expédie à Parme chez des parents nourriciers; à neuf ans, il travaille aux chemins de fer Parme-La Spezia. Puis il erre, lui aussi, mais à pied. Recruté d'office, il fait un bon soldat. Il sera ensuite domestique du prince d'Aragona, et devient anarchiste à cause de l'affaire Dreyfus. L'univers bourgeois, pense-t-il, est si pourri qu'il suffira d'un crime assez visible pour le renverser...

Lucheni n'avait que dix-sept ans d'avance sur l'attentat de Sarajevo.

Un moment, il tente de se raccrocher à son prince, mais trop tard : son engagement politique est déjà notoire. C'en est fait; en août 1898 Lucheni achète au marché un poinçon qu'il greffe sur un morceau de bois. Et il attend. N'importe quel souverain fera l'affaire.

L'attentat de Lucheni contre Elisabeth n'eut pas l'effet politique escompté par les anarchistes; la vieille impératrice, perdue dans un nomadisme solitaire, n'appartenait plus assez au monde de la représentation politique pour que sa mort fît scandale. On eut pitié d'elle, voilà tout. L'attentat de Sarajevo, en juin 1914, fut celui qui obtint, du point de vue anarchiste, les meilleurs résultats : en assassinant le prince héritier François-Ferdinand, neveu de l'empereur, le Serbe Princip fut à l'origine de la Première Guerre mondiale, qui vit sombrer l'empire des Habsbourg.

Après l'assassinat, Lucheni reprend à son compte un vieux mot d'ordre du mouvement ouvrier français et écrit dans une déclaration : «Qui ne travaille pas ne mange pas.» Il signe «Lucheni, anarchiste très convaincu».

Les menues joies d'Elisabeth

Lorsqu'elle arrive à Genève, Elisabeth se sent mieux; elle est presque gaie. Les ciels sont magnifiques, l'air est doux; elle passe chez la baronne de Rothschild une journée agréable; stupéfaite devant la beauté d'une volière remplie d'oiseaux exotiques, elle contemple longuement les serres d'orchidées, les cèdres du Liban et les pins nains. Et, ô miracle, elle mange : de la mousse de volaille, de la crème glacée à la hongroise, elle déguste tout, et demande même à emporter le menu...

Un beau clair de lune éclaire sa dernière nuit; un chanteur italien vocalise sous ses fenêtres. Elle s'endort à deux heures, mais l'astre, trop brillant, l'éveille. Pour son petit déjeuner, elle se fait servir un choix varié de petits pains; adieu régime! Elle a prévu d'aller, dans un magasin de musique, entendre un orchestrion jouer *Carmen* et *Tannhäuser*, qu'elle adore. L'Elisabeth des derniers jours semble réconciliée avec la vie, et l'idée de la mort, dit-elle à la baronne de Rothschild, la fait trembler.

Le dernier voyage

L'empereur apprend l'assassinat par deux télégrammes successifs. «Impératrice grièvement blessée.» «Sa Majesté l'impératrice décédée à l'instant.» «Rien ne m'est épargné sur terre», dit-il en sanglotant.

A l'hôtel Beau-Rivage on autopsie, puis on embaume; le beau visage en sort bouffi. A Vienne, selon le cérémonial des Habsbourg, le lourd cercueil arrive devant l'entrée de la crypte des Capucins. Au nom de la morte, le premier chambellan frappe trois coups. «Qui est là?» répond un moine. «L'impératrice et reine Elisabeth demande à entrer.» Elle y repose encore aux côtés de l'empereur et de Rodolphe, dans un cercueil identique à celui de son fils.

Les Viennois pleurèrent peu; les Hongrois, immensément. Parmi les innombrables couronnes déposées sur son catafalque, un bouquet venait du Caire; autour des roses de Jéricho, des fleurs de lotus et d'une branche de figuier coupée à l'arbre qui abrita le repos de la Vierge pendant la fuite en Egypte, le

Une lime finement aiguisée et montée sur un poinçon fut l'instrument du crime. En page de droite, la tunique ensanglantée de l'archiduc François-Ferdinand, trouée de balles à Sarajevo, et la robe noire de Sissi, percée d'une déchirure à peine visible à la hauteur du cœur, sans trace de sang. La robe n'est pas truquée : telle était la finesse de la taille de l'impératrice à soixante ans.

Départ du convoi funèbre d'Elisabeth à partir de l'hôtel Beau-Rivage à Genève. L'ambassadeur de France écrit le 16 septembre 1898 : «On a oublié la défunte, qui était peu connue et peu aimée à cause de ses excentricités et de son dédain des convenances, pour ne songer qu'au malheureux empereur terrassé par ce nouveau coup, et qui aura vidé la coupe de toutes les amertumes.» En bas, le masque mortuaire idéalisé de Sissi, d'après l'empreinte prise sur son lit de mort. Son dernier vœu, «être enterrée près de la mer, de préférence à Corfou», ne put pas être respecté.

ruban portait ces simples mots : «*Flores etiam miseri desertorum te salutant*» (même misérables, les fleurs du désert te saluent).

Le présage de l'oiseau noir

Lorsqu'il sut qu'elle était morte, Lucheni dit simplement : «J'ai visé le cœur et je suis heureux de cette nouvelle.» Il dit encore : «Un Lucheni tue une impératrice, jamais une blanchisseuse.»

Quelques jours après l'attentat, le gouvernement impérial, jusqu'alors réticent, décida brusquement de participer à la conférence internationale convoquée à Rome sur les menées anarchistes.

Au procès de l'assassin, la défense se contenta de soutenir qu'Elisabeth eût demandé sa grâce, et c'était vrai. Lucheni fut condamné à la réclusion à perpétuité, et retrouvé pendu dans sa cellule onze ans plus tard. Il n'avait pas compris que sa victime partageait sa haine des rois ; il ne sut pas qu'en assassinant l'impératrice, il avait tué une fervente républicaine.

Un jour sur un bateau, elle avait remarqué des mouettes. «A chacun de mes voyages les mouettes suivent mon vaisseau, dit-elle, et il en est toujours une de couleur sombre, presque noire. Parfois la mouette noire m'a accompagnée pendant toute une semaine, d'un continent à l'autre. Je crois qu'elle est mon Destin.»

Rien ne prédisposait le jeune empereur François-Joseph, qui gouvernait ses peuples avec tant de sérieux, à choisir pour épouse la plus indocile de ses cousines de Bavière, la plus rêveuse, la plus sportive, et la moins jolie des filles du duc Max, ce fantaisiste. Au contraire.

CHAPITRE II
L'ENFANT DU DIMANCHE

Dès l'annonce des fiançailles impériales surgissent, idylliques, les portraits sur porcelaine, sur faïence, sur papier, sur bois… Et de son côté, Sissi écrit :
«O hirondelle! prête-moi tes ailes,
Emmène-moi au pays lointain.
Que je serais heureuse de briser toute entrave
De rompre tout lien.»
Et cependant elle pleure lorsque François-Joseph s'en va…

Coup de foudre dans les montagnes

Lorsque le regard de François-Joseph se pose pour la première fois sur sa cousine Sissi, elle est en grand deuil d'une lointaine tante, et déjà, exquise dans une simple robe noire.

Ce 16 août 1853, tout est prévu. La duchesse Ludovica de Bavière est venue de Munich en voisine avec deux de ses filles, Hélène et Elisabeth. Sa sœur, l'archiduchesse Sophie, mère du jeune empereur d'Autriche, les attend à Ischl pour une conspiration matrimoniale. Hélène, que l'on bichonne soigneusement, s'apprête à devenir la fiancée de François-Joseph. Sissi, quantité négligeable dans ces projets familiaux, se contente de tresser elle-même ses longs cheveux. Femmes de chambre

et archiduchesse se taisent, bouche bée devant la grâce de ses gestes. Mais qu'importe, c'est de l'autre qu'il s'agit, la brune Hélène à l'œil sévère.

Patatras ! C'est à peine si l'empereur regarde sa promise ; il n'a d'yeux que pour sa cadette, l'insouciante Sissi, quinze printemps. Il ne perdra pas un seul jour : le 17 août, il déclare ses sentiments à sa mère d'abord, comparant Sissi à une amande à peine ouverte, et ses lèvres à des fraises ; le soir même, alors qu'Hélène, en robe de soie blanche, la tête fastueusement couronnée d'un lierre romantique, comprend tristement son échec, alors même que Cendrillon sa sœur ne porte qu'une simple robe rose, c'est avec celle-ci que l'empereur dansera le cotillon, lui offrant non seulement le bouquet rituel, mais aussi les autres, qu'il aurait dû distribuer aux danseuses. Déclaration quasi publique ; tout le monde comprend, sauf elle.

Ischl est, en pleine montagne, la résidence d'été de la famille impériale. Sissi (en page de gauche) y accompagne sa sœur et sa mère, qui veut la distraire d'un gros chagrin d'amour : le comte Richard S., dont elle s'était éprise, est mort après avoir été écarté de la famille.

«On ne refuse pas l'empereur d'Autriche»

Le 18 août, jour de ses vingt-trois ans, François-Joseph presse sa mère, qui eût préféré Hélène, de demander pour lui la main de Sissi à la duchesse Ludovica. C'est fait ; Sissi éclate en sanglots et s'écrie : «Oh ! J'aime tant l'empereur ! Si seulement il n'était pas empereur !»

L'archiduchesse Sophie reçoit le consentement écrit de Sissi ; dès sept heures du matin le 19 août, François-Joseph reçoit le billet, court voir sa future belle-mère ; il est huit heures. Il se précipite chez sa fiancée et l'embrasse follement.

L'aime-t-elle ? On ne le saura pas. L'aime-t-il ? On ne peut en douter ; il l'adore déjà, il l'adorera jusqu'au jour de l'assassinat, et dira encore au lendemain de la mort de Sissi : «Vous ne pouvez savoir combien j'ai aimé cette femme.» Mais il est empereur, il a vingt-trois ans, et il choisit. Quant à Sissi, elle n'a pas le choix ; la question ne se pose ni pour sa mère, ni pour elle. On ne refuse pas l'empereur d'Autriche, voilà tout.

Ces scènes idylliques, mille fois racontées, narrées sur toile, sur porcelaine, sur faïence, sur papier, sur pellicule, font naître la légende de Sissi. Mais regardons de près les protagonistes du coup de foudre impérial. Et d'abord, les femmes.

Portrait de la belle-mère : l'archiduchesse Sophie, femme de tête, femme de réaction

Au centre, se dresse la grande figure de l'archiduchesse Sophie, mère de l'empereur. Fille de Bavière, elle épousa, contrainte et forcée, l'archiduc François-Charles, au caractère insignifiant, dont elle eut quatre fils et dont elle s'accommoda. La jeune archiduchesse eut le cœur assez tendre pour protéger

Lorsque, jeune fille, Sophie verse des larmes amères sur son prochain mariage, sa mère répond : «Que voulez-vous, la chose a été décidée au Congrès de Vienne !» Devenue archiduchesse, elle en garde un mépris radical pour les individualités, à ses yeux négligeables. Ci-dessous ses enfants, en 1838. Sur le cheval de bois, François-Joseph, avec Ferdinand-Max, futur empereur du Mexique, Charles-Louis, futur amoureux de Sissi, et l'archiduchesse Maria-Pia.

l'Aiglon, le duc de Reichstadt, qu'elle soigna jusqu'à sa mort précoce ; ce fut sans doute son seul attachement sentimental. Plus tard, durcie, elle prend les rênes du pouvoir : l'empereur, son beau-frère Ferdinand, épileptique et débile, dit le Débonnaire, ne gouverne pas. L'Autriche d'avant 1848 compte deux fortes têtes : Metternich et l'archiduchesse Sophie, qui ne s'aiment guère.

1848 : l'Europe des nationalités s'éveille. Sophie concourt ardemment à la chute de Metternich, chassé par le soulèvement du royaume lombardo-vénitien. Puis c'est le tour de la Hongrie ; le soulèvement gagne la capitale de l'Empire. La famille impériale doit quitter la Hofburg, menacée par l'émeute ; Kossuth, à la tête du parti indépendantiste hongrois, prend le

François, duc de Reichstadt (Paris, 1811-Schönbrunn, 1832), alias l'Aiglon, fils de Napoléon Ier et de Marie-Louise.

dessus. C'est alors que Sophie décide de forcer le sort ; l'empereur Ferdinand abdiquera, mais pas en faveur de son frère, l'époux de Sophie, jeté aux oubliettes de l'histoire par sa propre femme. Cette mère farouchement catholique, résolument réactionnaire, inspirée par un nationalisme ambitieux, renoncera au trône pour assurer à son fils François-Joseph le titre d'empereur.

"Tu, felix Austria, nube» : ce tableau illustre la devise de l'Autriche.

«Tu, felix Austria, nube»

Il a dix-huit ans. Il lui faudra réprimer : en Italie, Radetzky s'en charge ; en Hongrie, ce sera le sanglant Haynau, qui fusille, emprisonne les plus nobles des Hongrois, dont le président du Conseil, le comte Batthyany ; Gyula Andrassy, condamné à mort par contumace et surnommé «Le Beau Pendu», s'enfuit à Paris. Sophie a maté les révoltes ; par fils interposé, elle continue de gouverner, et la cour l'appelle «notre impératrice».

«Toi, heureuse Autriche, marie-toi» : devise majeure pour ce pays dont la puissance s'est en effet constituée peu à peu grâce à des alliances conjugales, et non par des guerres expansionnistes. Lorsque l'époque des troubles s'achève, l'archiduchesse Sophie s'occupe sérieusement de marier son fils l'empereur. A l'heure où la puissance

prussienne commence à se faire sentir, aucune alliance n'est plus urgente qu'une bonne alliance germanique. Pour marier son fils dans le bon camp , Sophie avait choisi Hélène de Bavière, et François-Joseph lui préfère Sissi. Pour la première fois il désobéit à sa mère. L'archiduchesse obtempère puisque Elisabeth n'est pas moins bavaroise que sa sœur, mais, puisque aussi bien on lui résiste, elle découvre aussitôt que Sissi a les dents jaunes ; il faudra lui apprendre à les brosser.

Après les révolutions de 1848, une féroce répression s'abat sur les peuples de l'empire, jusqu'aux dignitaires. La Constitution impériale de 1849 ne reconnaît qu'un Etat souverain : l'Autriche. En haute Hongrie, «terre de la couronne» – dont la capitale, Presbourg, est aujourd'hui celle de la Slovaquie sous le nom de Bratislava – on voit des militaires impériaux fouetter publiquement une femme.

La duchesse Ludovica, mère de Sissi : une altesse paysanne

Ludovica, sœur de l'archiduchesse Sophie, mère de la future impératrice d'Autriche, avait été en son temps une jeune beauté ; mais on ne lui trouva pour époux qu'un bien piètre parti, le duc *en* Bavière Maximilien, moins puissant que son royal cousin, le duc *de* Bavière. Le duc Max, comme on l'appelait, entretenait une liaison avec une bourgeoise ; de son côté Ludovica avait une idylle avec le prince Michel de Bragance, qui devint roi du Portugal. Les deux époux bavarois ne s'aimaient donc pas d'amour, eurent ensemble sept enfants, et cohabitèrent tant bien que mal. La duchesse Ludovica se replie sur sa nombreuse progéniture qu'au mépris des règles royales elle élève elle-même, et mène une existence bourgeoise et simple, près de la nature : «empaysannée», dit-elle. Au contraire de son illustre sœur, Ludovica n'est ni ambitieuse ni bigote ; son unique souci sera de bien

« C'est une demeure simple, mais bien tenue, propre, jolie ; la cuisine y est bonne, on n'y trouve aucun faste, tout y est plaisamment démodé, mais de bon goût», écrit la comtesse Festetics – dame d'honneur de l'impératrice – à propos du château de Possenhofen, demeure du duc Max sur le lac de Starnberg.

LOUISE
Herzogin in Bayern

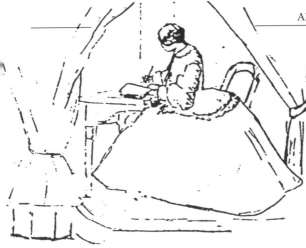

Lorsqu'on demande à la mère de Sissi quels sont les sentiments réels de sa fille au moment des fiançailles, elle répète à qui veut l'entendre : «Que voulez-vous, on n'envoie pas promener un empereur d'Autriche.» Ci-contre, un dessin de la jeune Elisabeth de Bavière; ci-dessous, un portrait en bois, le seul connu de Sissi enfant. En page de gauche, en bas, la mère de Sissi en 1837.

marier ses filles. La moins jolie, la plus indomptable, la plus vive, c'est justement Sissi.

Toujours soumise aux ordres de sa sœur Sophie, Ludovica avait docilement préparé sa fille Hélène pour la prestigieuse alliance. Le coup de foudre impérial ne change à ses yeux qu'une seule chose : le prénom de l'épousée.

Les perdants de l'idylle impériale

La triste Hélène n'inspire guère de commentaires. Sa beauté classique, un peu austère, ne retint pas un instant l'attention de l'impérial fiancé qu'on lui destinait; mais sur ses portraits l'on peut lire un peu de certaines crispations de Sissi, une dureté défensive.

A ces fiançailles éclair assiste un autre déçu de l'amour : Charles-Louis, frère de François-Joseph, n'avait pas attendu la rencontre d'Ischl pour deviner la naissante beauté de sa petite cousine, à qui il offrait des présents, et qu'il s'apprêtait à aimer. Son frère aîné lui vola la princesse de ses rêves; et Sissi sans le vouloir vola à sa sœur aînée le prince charmant de son conte de fées.

Sissi enfin, quinze ans, ô Roméo, l'âge de Juliette

Enfin, l'étoile du matin, Sissi elle-même. En apprenant la demande en mariage, elle s'écrie en pleurant :«Oui, comment pourrait-on ne pas aimer cet homme ? Mais quelle idée de penser à moi, je suis si jeune et si insignifiante !

Charles-Théodore, dit «Gackel», deux ans de moins que Sissi, est son frère préféré, qui accompagne une enfance heureuse et libre de tout soucis.

Je ferai bien tout pour rendre l'empereur heureux,
mais le pourrai-je ? » Le moins que l'on puisse dire,
c'est qu'elle a tout compris.

Qui est-elle ? Une petite fille au cœur enflammé.
Assez cancre, elle n'aime ni l'étude ni le piano ;
pendant les cours, elle écrit des vers ; en revanche elle
dessine. Parmi ses passions, son père, la montagne et
les animaux emplissent sa jeune vie. Excellente
cavalière, extrêmement sportive, elle saute de rocher
en rocher comme un chamois. Rien, absolument rien
ne l'a préparée à un destin d'impératrice.

Quant au mariage, elle n'y songe pas. Son enfance
est peuplée de frères et sœurs : Hélène, dite Nené,
Charles-Théodore, dit Gackel, Marie, Mathilde, dite
Moineau, Sophie, Max-Emmanuel, dit Mapperln ;
tous habitent le château de Possenhofen, dit Possi.
Quelques délicats fantômes adolescents viennent
hanter ses carnets de poèmes : David Paumgartten,
le frère de son amie Irène, et le mystérieux comte
Richard S., dont elle rêve amoureusement et qui
meurt brusquement. A peine si ce sont chagrins
d'amour ; à quinze ans, Sissi a le cœur vierge. Rien,
absolument rien ne l'a préparée au mariage.

C'est à sa propre fille Valérie qu'elle dira plus tard
ceci : « Le mariage est une institution absurde. On
n'est encore qu'une enfant de quinze ans et l'on se

Photos de famille en double-page, aux alentours de 1860. De gauche à droite, le duc Max, le père, puis les frères et sœurs : Hélène, Charles-Théodore, Sophie, Mathilde, Marie et Max-Emmanuel. « Un train de gueux », tel était le jugement sans nuances qu'avait proféré la cour de Vienne à propos de la famille de son impératrice.

Le duc Max raffole de l'équitation qu'il pratique lui-même dans un cirque qu'il s'est fait construire; il s'y montre en écuyer de haute école. Des acrobates et des clowns agrémentent les pantomimes, fort prisées de la société munichoise. Fidèle aux penchants poétiques du roi Louis Ier de Bavière (ci-dessous), il écrit en patois des vers burlesques sous le pseudonyme de Phantasus. Il préside une table de quatorze chevaliers et se livre avec eux à la composition de «rimes hépatiques». Il installe dans son palais un «café chantant», comme à Paris...

voit cédée à autrui, on s'engage par un serment que l'on ne comprend pas, mais que l'on regrettera ensuite pendant trente ans ou davantage, sans pouvoir le délier.»

Son père, le duc Max : amoureux de la vie, joyeux compère, ardent républicain

Dans cette scénographie idyllique, manque celui qui fut le personnage central de l'enfance d'Elisabeth : le duc Max, son père.

La famille des Wittelsbach est durablement affectée, aujourd'hui encore, d'une réputation pathologique. Parce qu'ils furent souvent non-conformistes et que certains d'entre eux sombrèrent dans le délire, ils sont, dit-on un peu vite, tous fous. A regarder le caractère de Louis Ier, grand-père de Louis II, et celui du duc Max, père de Sissi, on ne trouve que comportements profondément rebelles à l'étiquette, assez modernistes, et aucune trace de réel dérangement d'esprit. Louis Ier de Bavière reste célèbre pour avoir installé Lola Montès à ses côtés; poète, il avait deux passions, la beauté des femmes dont il collectionnait les visages, et l'indépendance de la Grèce à laquelle

il donna pour souverain l'un de ses fils, Othon, en 1832.

Quant au duc Max, il est tout simplement charmant. Chacun des traits saillants de sa personnalité, chacune des lubies reçues comme extravagances par la rigide cour autrichienne, se retrouveront dans le caractère de sa fille. Et rien de tout cela ne démontre autre chose qu'un tempérament trop moderne pour une Altesse de son temps.

Prince bourgeois, poète et cavalier

Ce prince bourgeois et libre d'esprit, véritable Roi d'Yvetot, incarne le meilleur d'une Bavière à la fois populaire et fantasque, où la mélancolie des soirs d'été se mêle à la gaieté partagée. Nulle folie, nulle «neurasthénie»; mais sur le souvenir du duc Max, comme sur la légende de sa fille, pèse encore le poids de la nosologie psychiatrique du XIXᵉ siècle, aujourd'hui totalement dépassée. Selon les catégories de notre temps, le duc Max ne relèverait pas de la pathologie. En revanche, oui, c'est un homme qui brise les tabous de sa condition.

Accompagné de sa cithare le duc Max déclame ses poèmes, aussi bien juché sur le sommet de la pyramide de Chéops qu'au beau milieu d'un lac pour Sissi et François-Joseph (ci-dessous). Comme Napoléon, qui accorda la royauté à la lignée de Bavière, il ramène d'Egypte des négrillons qu'il fera baptiser solennellement à Munich. Il est démocrate, d'instinct; au point d'écrire des articles historiques où il laisse des lignes blanches avec la mention, de sa plume: «Censuré». Et naturellement, de tous les Wittelsbach il est le plus populaire.

Un incendie à Vienne le 28 octobre 1848. Dès le 9, l'ambassadeur de France écrivait : «Une insurrection, bien plus sérieuse par la durée et l'animation de la lutte et par le nombre des victimes que tout ce qui s'est passé depuis six mois, a éclaté hier. [...] Ce mouvement, qui s'est opéré dans le sens le plus révolutionnaire, était préparé depuis quelque temps par les meneurs du parti allemand et démocratique afin de regagner le terrain qu'ils perdaient chaque jour.» Ci-dessous, le bataillon des grenadiers. Certains bataillons allemands et italiens se mutinèrent.

Le fiancé : un professionnel de l'empire

Reste François-Joseph, qui épouse la fille préférée du duc Max.

Sissi enfant n'était pas belle ; mais François-Joseph est parfaitement beau. Ce grand jeune homme blond, toujours vêtu d'un uniforme de général qui rehausse son admirable sveltesse, atteint la perfection en tout : souverain studieux et consciencieux, ponctuel, scrupuleux, éminemment responsable de ses actes, excellent danseur, il n'a, aux yeux de Bismarck qui le rencontre en 1852, qu'un seul défaut : «S'il n'était empereur, je le trouverais un peu sérieux pour son âge.»

Elevé pour l'empire, il incarne l'empire, et remplira cette fonction jusqu'à la fin de sa vie – en 1916 –, au point que cette très longue existence apparaîtra aux yeux de ses peuples comme l'unique ciment qui les rassemble. Quand il rencontre Sissi, c'est déjà vrai. A cette époque, depuis cinq ans il est passé par l'épreuve du feu : celui du gouvernement comme celui du danger. Il a laissé faire la répression de 1849 ; il est à la tête d'une monarchie théocratique et militaire qui repose sur la police et l'armée. En 1853, les émeutes continuent : à Milan, inspirés par Mazzini, les nationalistes italiens poignardent dix soldats autrichiens, et en clouent plusieurs vivants aux portes des maisons. Répression instantanée. A Vienne, le jeune tailleur hongrois Janos Libenyi frappe l'empereur à la gorge, au couteau. François-Joseph, sérieusement atteint, se contente de dire à sa mère : «Me voici blessé tout comme mes soldats, cela me fait plaisir.»

Un jeune homme à peine déniaisé

C'est avec le plus grand sérieux que l'empereur adolescent s'est laissé sexuellement éduquer par quelques comtesses dites «hygiéniques», dûment fournies par les sbires de l'archiduchesse Sophie, peu regardants sur l'hygiène véritable de ces légères dames.

"Grand, souple, très bien tourné, doué d'une santé à toute épreuve, François-Joseph est un remarquable spécimen de sa race."
Comte de Saint-Aulaire

L'étonnant, chez ce jeune homme si contrôlé, c'est qu'il ait pu tomber amoureux fou. L'étonnant, c'est qu'il ait trouvé le courage de résister aux injonctions

de l'archiduchesse Sophie. Et le paradoxe admirable, c'est qu'il ait choisi avec un si sûr instinct une fille qui lui fut si contraire : perturbatrice, incontrôlable, rêveuse, irrespectueuse de ses devoirs d'écolière et aussi fantaisiste qu'il est grave. L'indulgence sans bornes qu'il manifesta toujours à son épouse permet de penser qu'il avait sans doute intimement besoin d'un *alter ego* qui fût rebelle à l'empire. Il l'eut.

Leur seul point commun – ce charme irrésistible qu'ils avaient tous deux – fera leur célébrité de couple, et suscitera un enthousiasme populaire à la mesure des espérances des peuples asservis. Les populations de l'empire pouvaient rêver de souverains jeunes et fervents, plus ouverts à la liberté que Metternich ne l'avait été : avec

Pour alimenter les rêveries populaires, l'imagerie réinventera la première promenade amoureuse des fiancés impériaux à Ischl.

Sissi du moins, la Hongrie, l'un des bastions de
l'empire, ne se trompait point.

Entre soleil et dimanche

Pour l'émerveillement de ses proches, Sissi était née
un dimanche 24 décembre. A l'époque de ses
fiançailles elle écrit :
> «Je suis une enfant du dimanche, une enfant du
> soleil,
> Ses rayons d'or au trône m'ont conduite,
> De sa splendeur fut tressée ma couronne
> Et c'est en sa lumière que je demeure.»

Le lendemain du jour où son fiancé l'embrasse
fougueusement, commence la longue éducation qui
fera du dimanche de sa jeunesse une interminable
contrainte.

Vienne, juin 1861. Le docteur Skoda, appelé au chevet de l'impératrice Elisabeth, diagnostique une phtisie galopante, et lui laisse à peine six semaines à vivre. Moins de dix ans après ses légendaires fiançailles, Sissi se meurt. Comment la fraîche et saine gamine de quinze ans dont l'empereur s'était si vite épris a-t-elle pu se transformer en cette mère à l'agonie ?

CHAPITRE III

ROSE TUBERCULEUSE

En 1864, le peintre Winterhalter réalise le plus connu de tous les portraits de Sissi. Entre ses fiançailles légendaires et l'assomption de cette triomphale beauté, la jeune impératrice traverse de terribles conflits familiaux qu'elle résoud par crises successives : dépression, caprices, tuberculose, passions contenues. L'envers même du bonheur de celle que ses peuples appelaient «Rose de Bavière».

Apprentissages d'une impériale fiancée

Dès le lendemain de la conclusion des fiançailles,
l'éducation impériale s'est abattue sur Sissi. De
retour à Munich, elle doit apprendre l'italien et le
français ; elle, qui plus tard parlera couramment le
hongrois et le grec, résiste aux leçons linguistiques.
Un professeur hongrois, à la réputation de grand
conservateur, le comte Maïlath, lui apprend l'histoire
du vaste empire. Et pendant que les altesses familiales
préparent activement les cérémonies, les contrats, les
dotations, Sissi subit des essayages, apprend la danse,
et se brosse les dents sagement. Mais elle est triste, et
la bonne Ludovica sa mère s'inquiète, au point de
vouloir retarder le mariage. En vain. L'empereur est
follement amoureux ; il couvre sa fiancée de cadeaux,
il est pressé ; sa capitale également.

   Le 20 avril 1854, Sissi fait ses adieux aux
domestiques du palais munichois, et leur serre à tous
la main. C'est la dernière fois de sa vie qu'elle en a le
droit ; désormais, elle donnera sa main à baiser selon
le protocole.

Se tenir debout et sourire

Commence le voyage de Munich à Vienne : en
distance géographique, une misère ; mais en

La petite fiancée
quitte sa Bavière
natale (ci-dessus) et
voyage par bateau
jusque dans sa future
capitale. La fastueuse
remontée du Danube
dure trois jours entiers.
A Nussdorf (à droite),
le jeune empereur
embrasse
fougueusement une
Sissi épuisée, suscitant
l'enthousiasme
populaire. « Le
bienveillant esprit
de Marie-Thérèse (la
grande impératrice
tutélaire de l'Autriche
du XVIIIᵉ siècle) planait
en cet instant au-
dessus de son illustre
petit-fils », écrivent
les gazettes.

cérémonial, un supplice initiatique. A Straubing, où l'attend un premier vapeur pour descendre le Danube, première réception : orchestre, discours, vœux et bouquets. 21 avril, Passau, même protocole ; autre bateau vers Linz, discours, vœux, bouquets, orchestre. François-Joseph est venu par surprise, et repart à l'aube après avoir assisté avec sa fiancée à une pièce de théâtre : *Les Roses d'Elisabeth*. Linz-Vienne : le grand vapeur *François-Joseph* emporte sur son pont transformé en jardin une Sissi abritée par une tonnelle de rosiers. A Nussdorf, elle se change, réapparaît en rose, et «Franzl» saute d'un bond sur le vapeur qui porte son nom.

Derrière le jeune empereur monte l'archiduchesse Sophie, précédant l'innombrable tribu des archiducs et des archiduchesses Fanfares et canons. Présentation

du corps diplomatique, du clergé, des notables, et du gouvernement. Discours de l'archevêque. En cortège de carrosses, la cour se rend à Schönbrunn, l'immense palais «jaune impérial».

Présentation des archiduchesses par sa belle-mère; des archiducs par son futur. Puis des officiers. Remise solennelle des cadeaux. Introduction de la dame d'honneur autrichienne, la comtesse Esterhazy, née Liechtenstein, à la solde de l'archiduchesse Sophie. Salut au balcon, dîner de gala. 23 avril, entrée dans Vienne : l'impériale fiancée, en robe rose lamé d'argent parsemé de vraies roses, pleure à chaudes larmes dans le carrosse d'apparat aux panneaux peints par Rubens. Trompettes à cheval, fourriers, gardes porte-drapeaux, orchestre, carabiniers, serviteurs à pied, et les lippizans ornés de panaches blancs... Le carrosse est de cristal; on verra Sissi pleurer. Passe encore. On lui fait inaugurer un pont qui porte son nom. Enfin, elle entre dans la Hofburg, sa maison, et accroche son diadème aux ornements d'or du carrosse; elle sanglote toujours. Le mariage aura lieu le lendemain à sept heures du soir dans l'église des Augustins.

Première dérobade

Soixante-dix prélats assistent le cardinal Rauscher dont le sermon, interminable, ne manque pas de souligner la dignité du dénuement de la promise. Présentation des ambassadeurs par le ministre des Affaires étrangères. Présentation des dames attachées au palais, et admission des susdites au baisemain... Sissi flanche, et va pleurer dans un salon vide. Elle ressort, les yeux gonflés, aperçoit deux de ses cousines, leur saute au cou... Drame! Sa belle-mère entre en action : les bisous sont interdits.

Nuit de noces. Petit déjeuner en tête à tête, dûment troublé par Sophie et Ludovica, à l'affût. Sissi est toujours vierge.

Les racines généalogiques des Habsbourg (ci-contre) : on y trouve parmi d'autres Rodolphe (1218-1291), empereur en 1273 et fondateur de l'Autriche; Albert II (1397-1439), le premier consacré par l'huile sainte; Charles Quint (Carolus V, 1500-1558); et Philippe II, roi d'Espagne. Ci-dessus l'empereur François-Joseph entouré de ses frères : à gauche l'archiduc Louis-Victor; à droite de l'empereur Charles-Louis, père de François-Ferdinand assassiné à Sarajevo; à l'extrême-droite Maximilien, empereur du Mexique (qui, selon la rumeur, serait le fils de l'archiduchesse Sophie et de l'Aiglon).

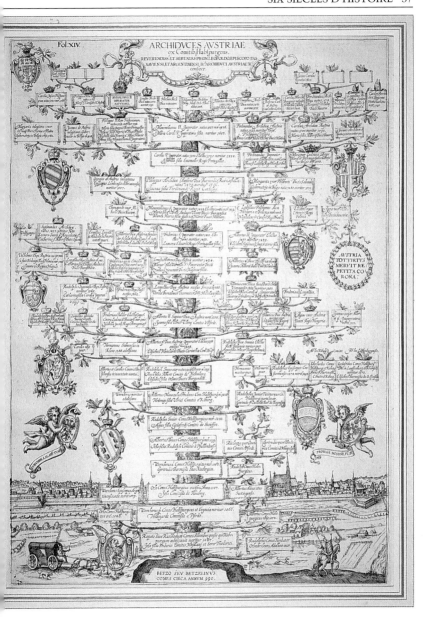

Le mariage impérial

À l'occasion de son mariage, l'empereur octroie à son peuple une allocation : 25 000 florins pour la Bohême, 6 000 pour la Moravie et sa capitale, Brünn (l'actuelle Brno), 4 000 pour les pauvres de Silésie, 25 000 pour ceux de Galicie, 50 000 pour le Tyrol, sinistré par le phylloxéra, 15 000 pour la Croatie, la Dalmatie et l'Istrie, 50 000 enfin pour les travailleurs viennois. Pour l'Italie du Nord et la Hongrie, pas un sou. Une messe dans la cathédrale Saint-Etienne à Vienne rassemble «l'élite de toutes les classes», sollicitée par une quête qui permettra d'attribuer 500 florins à quarante couples mariés le même jour.

Vienne en fête accueille sa Sissi

"Depuis le 23 avril, écrit l'ambassadeur de France, monsieur de Bourquenay, des fêtes non moins brillantes que variées n'ont cessé de se succéder ici, ajoutant ainsi chaque jour plus d'éclat aux cérémonies-même du mariage. L'acte le plus remarquable cependant, qui ait marqué cette solennité et qui laissera aussi, je l'espère, les traces les plus durables dans les souvenirs, c'est [...] la décision impériale qui vient de rendre à la liberté près de 400 condamnés politiques et de lever en même temps l'état de siège dans toutes les provinces de la monarchie... L'entrée solennelle de la princesse Elisabeth avait eu lieu avec une pompe toute extraordinaire dans la capitale de l'Autriche, du moins pour ce pays. Les habitants de Vienne se pressaient en foule autour du cortège et saluaient de leurs acclamations unanimes la future impératrice, acclamations d'autant plus chaleureuses et sincères, je le crois, qu'indépendamment de leurs sentiments incontestablement monarchiques, ils trouvaient ainsi une occasion bien justifiée de manifester leur admiration proverbiale pour la jeunesse et la beauté.**"**

Mère et belle-mère, le troisième jour, seront sûres de la consommation du mariage lorsqu'elles ne verront pas Sissi au petit déjeuner. Sa belle-mère exige qu'elle s'y montre, car l'étiquette impériale ne souffre pas la pudeur ; Sissi ne lui pardonnera jamais. Le soir même, grand bal à la Cour.

La lune de miel au château de Laxenburg est à l'avenant. Les époux ne sont jamais seuls, sauf la nuit. Quelques semaines plus tard, à peine les cérémonies achevées, voyage officiel en Moravie et en Bohême, délégations, innombrables défilés militaires, visite des hôpitaux, sourire, baisemain, sourire encore, se tenir debout, sourire... Et le jour du retour à Vienne, c'est la Fête-Dieu. Prières et défilés du matin jusqu'au soir.

Le château de Laxenburg (ci-dessus), et son parc où la jeune épouse se promène en calèche (page de droite).

L'enfant couronnée se rebiffe

La «Rose de Bavière», comme l'appellent les Autrichiens enthousiastes, ne tarde pas à se faner. Avant même le départ pour la Bohême, Sissi se met à tousser ; devant les escaliers de la Hofburg, la tête lui tourne. Elle ne mange pas.

Au lendemain de la nuit – la troisième –, qui suivit la perte de la virginité de Sissi, l'empereur se prêta de bonne grâce à l'usage exigeant du mari vainqueur qu'il vînt exhiber sa fierté à la famille assemblée à l'étage supérieur, cependant que la jeune déflorée devait faire montre d'une exquise rougeur, signe d'un supposé bonheur. Elisabeth racontera plus tard à Marie Festetics : «L'empereur était si accoutumé à obéir qu'il se soumit là encore. Mais pour moi c'était épouvantable. C'est seulement par amour pour lui que je montai également.» Ci-contre, un dessin de la main de Sissi représentant François-Joseph en 1855.

Bientôt elle est enceinte; on ne pourra plus distinguer entre les malaises obligés de toute grossesse impériale et le profond rejet de l'étiquette espagnole de l'Escurial, héritée du grand XVIᵉ siècle des Habsbourg à l'époque où Charles Quint régnait sur un si grand empire que le soleil ne s'y couchait jamais. Sissi, élevée selon les normes de la bourgeoisie libérale, renâcle devant les quatre siècles d'histoire que la pompe autrichienne pose d'un seul coup sur sa jeune tête. On aurait tort de prendre à la légère le malheur de cette adolescente dont les peuples acclament le bonheur et qui en quelques jours a perdu toutes ses raisons de vivre. A l'évidence, l'amour de son époux ne pesa pas dans la balance, puisque la sourde révolte de Sissi commence au troisième petit déjeuner.

Le conflit qui l'oppose à sa belle-mère, d'une parfaite banalité sociologique, se déroule en public, guetté par des milliers de regards; de familial, il devient une affaire d'Etat et, pour Sissi, un combat

Pendant sa lune de miel au château de Laxenburg, Sissi, debout entre son mari et sa belle-mère l'archiduchesse Sophie, reçoit chaque jour des délégations : basse et haute Autriche, Styrie, Bukovine... Quand vient le jour de sa première délégation hongroise, elle porte le costume national avec gilet lacé de velours noir, tablier de dentelle et coiffe enrubannée. Le 27 avril, au grand bal de la Cour, Johann Strauss exécute pour la première fois les *Elisabethklänge*, où le *Bayernlied*, chant de Bavière, se mêle à l'hymne impérial.

libertaire. L'archiduchesse Sophie reproche à Sissi sa
jeunesse, son manque d'éducation, sa naissance
modeste au regard des Habsbourg, et ne lui fait grâce
d'aucune remarque ; la comtesse Esterhazy, duègne
de caricature, lui rapporte tout. Lorsqu'en 1855
Sissi accouche d'une petite Sophie, la belle-
mère lui confisque l'enfant, radicalement. Un
an plus tard, deuxième naissance, deuxième
fille, confiscation : l'archiduchesse élève les
enfants dans la nursery impériale, et Sissi
n'a pas même le droit d'allaiter. Elle appelle
la Hofburg «Kerkerburg», le palais-cachot.

Comment Sissi découvre qu'elle peut marchander l'amour conjugal

Il lui faudra deux ans pour réagir. En septembre
1856, elle parvient à s'échapper avec son impérial

époux, loin de la belle-mère, pour une excursion privée sans protocole, et obtient de l'empereur le droit de voir ses enfants. L'archiduchesse menace de quitter la Hofburg… Et pour la deuxième fois de sa vie son fils lui résiste rudement. L'équipée de Franzl et Sissi en Carinthie et en Styrie sera leur vrai voyage de noces : plus d'étiquette, plus de vêtements d'apparat, une liberté de promenade, une halte du cœur traduite dans le nom d'un refuge où s'arrêta Sissi : *Le Repos d'Elisabeth*. Découvre-t-elle à cette occasion le parti qu'elle peut tirer de l'amour de son mari ? Sans doute, puisqu'elle en fera souvent usage ; mais elle n'a que dix-huit ans, et sans doute aussi rêve-t-elle encore au bonheur.

Pas pour longtemps. Il faut visiter l'Italie rebelle, qui manifeste sa colère à chaque étape. Silence hostile à Venise ; soirée à la Fenice, les loges de la noblesse sont vides ; à Milan, c'est pire, les nobles envoient leurs domestiques à leur place. Les Italiens humilient le jeune couple impunément ; du coup, l'empereur relève Radetzky de ses fonctions ; le vieux feld-maréchal de quatre-vingt dix ans gouvernait encore l'Italie du Nord. Sissi ne bronche pas, ne s'émeut guère, et tient son rôle : loin de Vienne, elle va mieux.

Novembre 1856. Le voyage impérial en Italie du Nord est marqué d'incidents graves. A Trieste, une immense couronne impériale éclate à bord du navire : un attentat, sans doute. Malgré de perpétuelles rebuffades et des comportements insultants, l'empereur, sous l'influence d'Elisabeth, abroge la confiscation des biens des exilés politiques et décrète une amnistie générale pour les détenus de la révolution de 1848. De Venise, où les choses se passent un peu mieux, François-Joseph écrit à sa mère : «La population s'est montrée très convenable, bien que sans enthousiasme particulier. Mais depuis, l'atmosphère s'est notablement améliorée pour différentes raisons dont, en particulier, la bonne impression qu'a faite Sissi.»

Un bonheur en vitrine (au centre) : l'archiduchesse Sophie, son époux, le couple impérial et leurs deux fillettes Sophie et Gisèle dans les bras de sa grand-mère. Scène de maternité officielle (au-dessus) : Sissi tient dans ses bras le prince héritier Rodolphe, né le 21 août 1858 ; à ses côtés, debout, la petite Gisèle. Et, au mur, le portrait de l'enfant Sophie, morte à Budapest le 29 mai 1857, brusquement.

Passions hongroises

C'est en Hongrie, étape suivante des visites officielles, que sa vie va basculer.

De la Hongrie elle aime tout : le désir d'indépendance, le tempérament passionné, les revendications libertaires, les quadrilles déchaînés, la musique tzigane, les chevaux dans la *puszta*, et la détestation de l'Autriche. L'archiduchesse Sophie haïssait les Hongrois ; Sissi les aima donc follement jusqu'à sa mort, et fut largement payée de retour. Dès 1856 elle se tient à cheval dans les défilés militaires aux côtés de l'empereur ; les Hongrois s'émerveillent, mais l'aide de camp autrichien, le comte Crenneville, montre son dégoût pour cette «exhibition équestre». L'équitation commence à faire partie de la panoplie de résistance de l'impératrice Elisabeth, et la Hongrie persécutée par l'Autriche devient le symbole intérieur de sa propre liberté.

Las ! Ses deux fillettes, arrachées de haute lutte à l'archiduchesse Sophie, et qui avaient accompagné

La Hongrie enchante Elisabeth, qui charme les Hongrois, dûment avertis des hostilités entre la jeune impératrice et l'archiduchesse sa belle-mère farouchement hostile à toute libéralisation de la monarchie. Comme en Italie, l'empereur proclame des mesures de clémence, et autorise le retour des exilés politiques ainsi que la restitution de leurs biens. Parmi eux, Gyula Andrassy, le plus célèbre et l'un des responsables – avec Sissi elle-même – de la future autonomie hongroise.

Guerre d'Italie. L'empereur, qu'on voit ci-contre accompagné de son chef d'état-major, part rejoindre ses armées à Vérone; Sissi veut le suivre. «Il m'est, hélas, impossible d'accéder à ton désir pour l'instant, quelque envie que j'en aie. Dans la vie mouvementée du quartier général, il n'y a pas de place pour les femmes, et je ne peux pas donner le mauvais exemple [...]. Je t'en supplie, mon ange, si tu m'aimes, ne te tourmente pas tant, ménage-toi, cherche à te distraire le plus possible, monte à cheval...»

leurs parents à Budapest, tombent malades. Subitement l'aînée, Sophie, meurt en une nuit sous les yeux de sa mère.

Sissi a dix-neuf ans, et plonge dans un deuil affreux. Loin de désarmer, l'archiduchesse Sophie se venge en accusant sa belle-fille de la mort de l'enfant, qui n'aurait pas dû quitter Vienne. Deux ans plus tard, naîtra enfin, dans de grandes souffrances physiques, l'héritier du trône, Rodolphe. Confisqué lui aussi. Sissi se réfugie dans une farouche retraite, et chevauche tout le jour. L'archiduchesse Sophie gouverne toujours absolument et l'empereur est aux prises avec les rébellions italiennes.

Solferino, le sang, les blessés, la rupture

Un an plus tard, en 1859, le ministre piémontais Cavour accumule les provocations pour contraindre l'Autriche à une intervention militaire; François-Joseph envahit le Piémont soutenu par la France;

bientôt, comme c'est son devoir, l'empereur rejoint le front. C'est la guerre, et l'Autriche la perdra cruellement, à la bataille de Solferino, si sanglante qu'Henri Dunant fonda, à cette occasion, la Croix Rouge. Sissi, pour la première fois de sa vie, fait montre d'un talent singulier : elle soigne les blessés, et organise un hôpital de fortune à Laxenburg. Pour la première fois aussi, elle intervient sur le terrain politique et presse son époux de faire la paix. Sourd à la voix de sa femme parce qu'elle est femme, il finira par signer la paix, mais sous la contrainte. Ludovica et Sophie, la mère et la belle-mère de Sissi, s'indignent à l'unisson de voir l'impératrice se mêler de politique. 1860. François-Joseph est un empereur affaibli. Sa mère et son épouse continuent de s'entre-déchirer ; il prend le large, chasse beaucoup et se console avec une comtesse.

La désastreuse guerre italienne enlève au jeune empereur tout son prestige. Après la bataille de Solferino (juin 1859, ci-dessus), la révolte gronde à Vienne et bien sûr en Hongrie. L'empereur doit signer un armistice imposé par Napoléon III, «cette fripouille», comme il l'appelle. Avec le traité de Villafranca (juillet 1859) l'Autriche perd la Lombardie, la plus riche de ses provinces italiennes, mais garde – provisoirement – la Vénétie.

Tout soudain Sissi organise des bals dans ses propres appartements ; elle n'y invite que des couples jeunes – sans les mères – et y danse comme une folle. Elle se met à fréquenter les bals privés, et s'autorise à rentrer à la Hofburg à l'aube, après le départ de l'empereur pour la chasse. Le reste du jour, elle chevauche. Ce comportement tourbillonnant et contradictoire d'une Sissi subitement mondaine laisse présager une crise conjugale à ciel ouvert.

L'échappée dans la maladie

Mais non, la crise n'éclatera pas en public. A la place de l'insoluble conflit, Sissi déclare un début de phtisie. Aux limites de l'épuisement nerveux, elle passe des accès de larmes aux quintes de toux ; elle y remédie par une spirale d'exercices plus violents encore, marches forcées et gymnastique éprouvante. Pas de doute : elle se rend malade et, le visage bouffi,

elle devient laide. Jusqu'à ce qu'enfin le docteur Skoda pose le diagnostic tant espéré, et exige son départ pour un climat plus chaud. Elle choisira Madère, loin de l'empereur. L'Europe entière s'émeut ; la reine Victoria lui envoie son propre yacht. Délivrée de sa prison, Sissi s'envole, pour la plus grande joie de la cour impériale et de l'archiduchesse Sophie.

A Madère la toux cesse ; Sissi joue aux cartes, gratte une mandoline, s'occupe de plusieurs chiens et s'ennuie un peu. Juste assez pour conquérir le cœur du beau comte Imre Hunyady, et de tous les officiers russes d'un navire de guerre qui passait par là. Ce qu'Elisabeth trouve à Madère, ce sont des bribes de la jeunesse que lui avait volée la vie ; de mariage en

Le 17 novembre 1860, l'empereur conduit Sissi à Bamberg. De là elle rejoint Anvers et le yacht de la reine Victoria. Destination Madère, où la jeune impératrice recouvre ses forces, et s'ennuie avec ses perroquets et ses soupirants. Les langueurs de Sissi inspirent au poète Peter Rosegger un dessin illustrant cette mélancolie qui passionne l'Europe entière. La «Rose de Bavière» n'est plus. A gauche, un compagnon de voyage, auprès des singes et des perroquets. En haut, à Madère aussi, trois chevaliers servants de l'impératrice : le comte Imre Hunyady (en blanc), follement amoureux, le prince Liechtenstein et le comte Spazary.

Ihre Majestät die Kaiserin in Madeira. 1861.

contraintes et de deuil en querelles, aucun temps pour séduire ne lui avait été laissé. Et même son Franzl, elle n'avait pas pu le conquérir : au premier regard, c'était fait, sans son consentement. Seuls lui manquent à Madère ses enfants et ses chevaux.

Été 1861, retour à Possi, le château de l'enfance : Sissi pose, entourée de ses frères et sœurs. Le duc Max, son père, la renvoie à Vienne, à François-Joseph et à ses enfants.

Retrouvailles à Vienne en mai 1861. Elisabeth et François-Joseph ont été séparés six mois. Quatre jours plus tard reviennent la toux et la fièvre. Sissi de nouveau ne mange plus, et cette fois ne dort plus. Elle interdit à son époux la porte de sa chambre à coucher. La guerre intime continue ; et la phtisie revient, au grand galop. Le docteur Skoda juge Sissi perdue...

Premières victoires familiales

A moins qu'elle ne reparte, et ce sera Corfou.

Cette fois l'empereur comprend le message, et tente d'envoyer un émissaire pour une conciliation ; en pure perte. Il finit par l'aller trouver dans son île grecque, où le couple parvient à un compromis : en échange du limogeage de la comtesse Esterhazy et de la venue de ses enfants, Gisèle et Rodolphe, Sissi accompagne l'empereur à Venise. Ses troubles n'ont pas disparu ; elle se croit vouée à une mort prochaine. Avec l'obstination des malades imaginaires, elle refusera Vienne, dont le seul nom porte sa mort en germe. De Venise elle part en cure à Bad Kissingen pour soigner une hydropisie et, de là, retourne à Possi. Chez le duc Max, avec sa mère et ses sœurs.

L'excellent père, seul être sensé de l'affaire, met quelque temps à trouver la juste solution : exaspéré par les lamento féminins qui l'entourent, il pique une colère et renvoie ses filles mariées à leurs maris. Sissi est la première de toutes, mais avec la loi du père on ne transige pas : après deux ans d'absentéisme impérial, elle rentre enfin à Vienne qui lui fait un accueil triomphal. Certes, elle a gagné une partie : désormais elle mène sa vie comme elle veut, libre de ses promenades et de ses chevauchées solitaires ; plus farouche que jamais, elle peut fuir ses sujets. Reste la belle-mère.

C'est à propos de l'éducation de son fils qu'Elisabeth se détermine enfin à déclarer une saine colère, résolue, raisonnée. L'empereur lui-même avait confié Rodolphe au comte Gondrecourt, créature de l'archiduchesse Sophie, chargé d'une éducation de style militaire : douches froides, exercices de terreur, le précepteur lâche l'enfant dans un zoo et crie

Leopold Gondrecourt (ci-contre), précepteur du prince héritier, dit de son pupille :«S. A. Impériale est plus développé que les enfants de son âge, physiquement et intellectuellement, mais de tempérament plutôt pléthorique et nerveusement excitable ; c'est pourquoi il convient de modérer raisonnablement son développement intellectuel, afin que le corps aille du même pas.» Le résultat de cette interprétation toute germanique du *Mens sana in corpore sano*, un esprit sain dans un corps sain, fera du prince un enfant douloureux, plein de violence et de terreur, comme en témoigne ce dessin intitulé *Duel*, qu'il griffonna quand il avait huit ans. En haut, à gauche, un portrait officiel de Rodolphe à l'âge de quatre ans.

Au retour de Madère, Sissi passe par Miramar (double-page suivante), près de Trieste, où l'accueille sa belle-sœur Charlotte, épouse de Ferdinand-Maximilien et fille du roi des Belges. Entre la petite Bavaroise et la princesse belge régnait une solide discorde.

dans son dos : «Un sanglier!» L'impérial
héritier, qui à cinq ans parlait déjà quatre
langues, se défend comme il peut, reproduit
le comportement maternel, et se rend
constamment malade.

L'ultimatum de l'impératrice

Alors l'impératrice écrit à l'empereur. «Je
souhaite que me soient réservés tous les
pouvoirs en ce qui concerne les enfants, le
choix de leur entourage, le lieu de leur
séjour, l'entière direction de leur éducation ;
en un mot, c'est à moi seule de décider de
tout jusqu'à leur majorité. Par ailleurs, je
souhaite que tout ce qui concerne mes
affaires strictement personnelles... relève
également de ma propre décision et d'elle seule.»

Sissi est devenue une jeune femme triste et sévère. Toujours accompagnée de l'un des chiens, dont elle avait la passion, elle apparaît maintenant enfantine et boudeuse, les lèvres immuablement serrées pour dissimuler sa mauvaise dentition.

L'ultimatum, daté du 27 août 1865, vient d'Ischl,
symbole bien trouvé. François-Joseph ne pouvait que
céder ; la belle-mère, véritable enjeu de ces années
belliqueuses, avait enfin perdu sa guerre, selon la loi
naturelle des familles. L'empereur
lui-même, atteint d'une réelle
surdité affective, y laissa au
passage l'amour qu'il aurait pu
conquérir s'il ne l'avait escompté
d'avance, impérialement. Plus
tard, à Laxenburg, château de
sa lune de miel, Elisabeth dit
à sa dame d'honneur, Marie
Festetics : «Ici j'ai
beaucoup pleuré,
Marie.»

Malgré l'organdi, les bouquets et le diadème, la grâce de l'impératrice a disparu. Le visage épais est bouffi par la dépression et le malheur. Enfin (en bas, à gauche), en 1864 : le papillon sort de la chrysalide, Sissi s'efface en même temps que l'enfance évanouie, Elisabeth apparaît dans toute sa splendeur.

"Oh, puissé-je n'avoir jamais quitté le sentier Qui m'eût conduit à la liberté ! Oh, sur la grand-route des vanités Puissé-je ne m'être jamais égarée ! [...] Je me suis réveillée d'une ivresse Qui tenait mon esprit captif En vain je maudis cet échange Et le jour, liberté, où je t'ai perdue.**"**

La mort de l'adolescence

La lettre d'Ischl témoigne de la transformation de l'impératrice. Les commentaires ne manquent pas sur cette phtisie imaginaire, sur ces signes trop hystériques pour être honnêtes. La jeune femme utilisa pour conquérir son indépendance et gagner un peu de liberté des armes étonnamment modernes, c'est-à-dire la force redoutable que confère la maladie psychosomatique au sein d'une famille, fût-elle impériale. Les symptômes n'en sont pas moins physiquement réels, et la résistance, stupéfiante : incroyable acharnement d'un esprit tout occupé à abîmer son corps et sa beauté pour vaincre la cour d'Autriche. A force d'exercices épuisants, de violences sur elle-même, à force de fugues, de toux et de sanglots, Elisabeth, enfin, avait tué Sissi.

Budapest, 8 juin 1867 : François-Joseph, empereur d'Autriche, est solennellement couronné roi de Hongrie. Sous le dais de cérémonie se tient aussi la nouvelle reine, Erzsebet de Hongrie. Le comte Gyula Andrassy, condamné à mort par contumace en 1849 par le gouvernement autrichien, lui touche l'épaule avec la couronne de saint Etienne, et fait surgir de la foule des nobles magyars un vibrant *Eljen* (Hourra) d'adoration.

CHAPITRE IV

ERZSEBET OU LES LIBERTÉS

La couronne de saint Etienne, dont la croix demeure à jamais penchée, fut retrouvée dans un champ par des soldats américains à la fin de la Seconde Guerre mondiale, et restituée à la Hongrie en 1985 par Cyrus Vance. Ci-contre, le couronnement de François-Joseph et d'Elisabeth dans la cathédrale Saint-Mathias sur la colline de Buda.

Aux côtés d'une nation rebelle, la plus rebelle des Autrichiennes

L'irruption de la Hongrie comme partenaire à part égale avec la puissante Autriche, l'établissement du compromis de 1867 et d'une monarchie constitutionnelle, en bref, la naissance de l'Empire austro-hongrois, c'est là l'œuvre politique majeure d'Elisabeth. Les historiens d'aujourd'hui critiquent à bon droit le privilège accordé à une seule des nations de l'empire, tant il est vrai que, parmi d'autres, la Bohême n'eut droit à rien, non plus qu'aucun peuple des Balkans. Mais il n'en reste pas moins que seule l'obstination d'Elisabeth parvint à moderniser les vieilles structures répressives dont avait hérité l'empereur François-Joseph; il n'est pas moins vrai non plus que pendant l'ère de Yalta, la Hongrie fut encore la première des nations asservies à se soulever contre l'empire de Staline. Le compromis de 1867 devait tout à un réformisme élitaire, et rien à la démocratie; il témoignait cependant d'une volonté d'indépendance.

Influences hongroises

Sissi n'est encore que la petite fiancée de l'Autriche lorsque le premier Hongrois de sa vie, le comte Maijlath, son professeur en histoire impériale, lui vante secrètement les bienfaits de la République. A l'insu de tous, le ver est déjà dans le fruit, et prépare le coup de foudre d'Elisabeth pour le pays le plus réticent de l'Empire, dès son premier voyage. Lorsqu'elle revient de Corfou en 1863, Sissi déclare qu'elle veut apprendre le hongrois; on lui rit au nez. Comment y parviendrait-elle, puisqu'elle n'a pas réussi l'apprentissage de l'italien, du français, du tchèque? Miracle du désir : bientôt l'impératrice parle un hongrois si parfait qu'elle n'écrit plus ses lettres qu'en cette langue. Même à son époux, qui s'y fait.

En 1864, Ida Ferenczy entre au service d'Elisabeth. La jeune Hongroise a quatre ans de moins que sa souveraine; de naissance modeste, elle n'a pas été choisie par la Cour. Ida Ferenczy capitalisera pendant plus de trente ans toute la tendresse que Sissi n'a pu

Franz Deák (ci-dessus) est l'inspirateur du réformisme hongrois et de la double monarchie. Disciple de Tocqueville, il appartient au groupe des «centralistes» ou «doctrinaires».

Ida Ferenczy (ci-dessous) : pas assez noble pour la cour de Vienne, la première dame d'honneur hongroise d'Elisabeth, qui l'appelait «ma douce Ida», fut nommée «dame du couvent de Brünn», et «lectrice de Sa Majesté».

dispenser, pas même à ses propres enfants. Confidente privilégiée, amie de cœur, parfaitement loyale, d'une exemplaire discrétion, Ida Ferenczy fait connaître à la jeune impératrice la grande figure de l'idéal hongrois libéral : Franz Deák, «le sage de la nation» – ministre de la justice au moment des événements de 1848, sous le gouvernement

Allégorie du premier voyage impérial en Hongrie, en 1857, dix ans avant le couronnement. De part et d'autre, en haut, les rois Etienne et Ladislas, saints patrons du royaume ; en médaillon, sur le Danube, Buda et Pest : les «forces unies» protègent l'Autriche et la Hongrie.

nationaliste de Batthyany – modéré, mais déterminé à obtenir une constitution hongroise séparée, sans vouloir reconnaître la domination de l'Empire autrichien. En 1866, Elisabeth accroche au-dessus de son lit un portrait de Deák qui demeurera à la Hofburg jusqu'à sa mort, parfait symbole de la révolte de l'impératrice.

Andrassy et Elisabeth : la Dame et son troubadour

C'est Andrassy qui succède à Déak, trop vieux pour les affaires. Le Beau Pendu, amnistié en 1858, avait épousé à Paris une Hongroise d'une grande beauté;

habile avec la presse, doué d'un grand talent de parole, il aperçoit Elisabeth en 1866 pour la première fois, dans une cérémonie fastueuse à la Hofburg. François-Joseph s'était rendu en Hongrie en juin 1865, et après Solferino, devant la montée des périls, il avait supprimé la juridiction militaire. Sept mois plus tard une délégation du Parlement hongrois se rend à Vienne pour inviter personnellement Elisabeth. Andrassy, vice-président de la Chambre des députés, est en attila, couvert de peau de tigre. Quant à Elisabeth, jusqu'à la coiffe hongroise sur sa petite tête, en corselet de velours noir et tablier de dentelle, elle est reine de Hongrie et remercie la délégation dans une langue irréprochable. Le coup de foudre est réciproque.

Janvier 1866 : François-Joseph et son épouse partent à la conquête de la Hongrie. Elisabeth est acclamée, fêtée, adulée; pendant cinq semaines elle retrouve l'émerveillement de son premier séjour, et prononce en hongrois des discours émouvants. La Hongrie et sa princesse ont chaque jour les larmes aux yeux; le succès d'Elisabeth, c'est l'intensité de l'ardente émotion qui l'entoure et à laquelle elle répond avec un total abandon. Que Gyula Andrassy ait joué le rôle de catalyseur dans cette histoire d'amour, qu'il ait eu ou non une affaire avec Elisabeth

Gyula Andrassy (à gauche), parti à Istanbul en 1848 sur ordre du gouvernement révolutionnaire pour sauver de l'extradition les réfugiés hongrois, fut accusé de haute trahison par l'Autriche, condamné à mort par contumace et pendu en effigie. Il s'exila à Londres et à Paris et ne revint qu'en 1858. Polyglotte, élégant, voire coquet, don Juan mondain, parfait cavalier, journaliste et bon orateur, il est celui dont le parti libéral a besoin pour fortifier l'alliance entre la Hongrie et l'Autriche – au détriment des autres peuples. «En lui se mêlent des aspects de saltimbanque et de chevalier, de sportif et de joueur... C'est le plus audacieux menteur de son époque, et en même temps le plus indiscret des beaux parleurs», écrit le comte Hübner. Si l'Autriche le hait, les Hongrois, eux, ont bien compris le tempérament chevaleresque, épique et médiéval de leur héros national. Ci-contre, le voyage de réconciliation avec la Hongrie, qui prélude au compromis de 1867 (janvier 1866).

comme la cour de Vienne s'employa à le susurrer, c'est de peu d'importance : Andrassy incarne de fait la passion des cœurs, la liberté des sentiments ; mieux ou pire, il est l'opposé de l'empereur. S'établit entre Elisabeth et son Beau Pendu un amour courtois dans la plus pure tradition troubadour : adoration platonique et proximité dangereuse constamment surmontée, correspondance secrète par l'intermédiaire d'Ida Ferenczy, au nez et à la barbe d'un suzerain consentant, rien ne manque au scénario médiéval. Pas même la décisive influence féminine sur l'évolution politique d'une monarchie aux formes vieillissantes dûment perturbée.

Elisabeth en costume hongrois, telle qu'elle apparut à la délégation conduite par Gyula Andrassy, en janvier 1866.

Périls prussiens

Lorsque Bismarck conclut un traité secret avec l'Italie, la Prusse devient menaçante pour l'Autriche. Tout aussi secrètement, François-Joseph cède la

Vénétie à celui qu'il appelait «la fripouille», Napoléon III, pour qu'il la rende ensuite à l'Italie. Mais rien n'y fait : entre l'Autriche et la Prusse, la guerre éclate en juin 1866. Le 3 juillet, 450 000 hommes s'engagent dans la plus grande bataille du siècle : la défaite de Sadowa sera un désastre pour l'Autriche, et la Prusse domine désormais le concert des nations germaniques.

Elisabeth visite les hôpitaux, inlassable infirmière du cœur, et accueille les blessés avec compassion. Le 9 juillet, après avoir publiquement baisé la main de l'empereur sur le quai de la gare, elle prend le train pour Budapest, revient trois jours plus tard chercher ses enfants, et repart aussitôt.

Le coup politique de l'impératrice

En 1741, la grande impératrice Marie-Thérèse, menacée de toutes parts par les projets politiques de Frédéric II, et sur le point d'être dépossédée, avait lancé à la Hongrie un appel de détresse, en brandissant dans ses bras son fils, le futur Joseph II. Ce geste célèbre compte parmi les symboles forts de la Hongrie, qui vola au secours de sa reine assaillie, au cri de «*Vitam*

Juillet 1866, par la bataille de Sadowa (ci-contre), la Prusse écrase l'Autriche, et permet son éviction de la Confédération germanique.

Fille de l'empereur Charles VI, Marie-Thérèse accède au pouvoir en 1740; son époux, duc de Lorraine, devient empereur. Mais en vertu de la Pragmatique Sanction, qui permet aux filles d'accéder au trône faute d'héritier mâle, Marie-Thérèse, impératrice d'Autriche est «roi» de Hongrie. Elle fait ses débuts dans une période troublée. Elle perd deux filles l'année de son couronnement, doit faire face aux visées de Frédéric II sur la Silésie. C'est à Presbourg (Bratislava), alors capitale de la Hongrie, qu'elle harangue les palatins magyars en leur confiant l'héritier, âgé de quelques semaines : «Je remets entre vos mains la fille et le fils de vos rois.» Marie-Thérèse entra dans Presbourg sous un arc immense qui portait ses titres : «*Domina et Rex*», brandissant l'épée royale aux quatre points de l'horizon.

et sanguinem pro rege nostro Maria Theresia» : notre vie et notre sang pour notre *roi* Marie-Thérèse.

Elisabeth connaît l'histoire, et surtout le poids des symboles, dont elle maniait l'usage avec un singulier génie, tantôt pour abhorrer, tantôt pour adorer. En rééditant le geste de Marie-Thérèse, en se montrant à Buda avec ses enfants sous un jour vulnérable et désespéré, Elisabeth joue un formidable coup politique : elle assure à son époux François-Joseph le soutien d'une nation rebelle, et négocie avec lui en échange un statut libéral pour la Hongrie. Son idole Franz Deák ne lui fait pas défaut : «Je tiendrais pour une lâcheté de tourner le dos à l'impératrice quand elle se trouve dans le malheur, après l'avoir fêtée lorsque les affaires de la dynastie allaient bien.»

Sissi en «belle providence»

De Budapest, Elisabeth adjure l'empereur de nommer Andrassy ministre des Affaires étrangères de l'empire, et de mettre en œuvre le compromis tant souhaité par les libéraux modérés de Hongrie. Ses lettres, de plus

À la fin de janvier 1876, Elisabeth apprend que Deák est à l'agonie ; on l'empêche de se rendre au chevet de son idole, mais on ne l'empêchera pas de saluer sa dépouille mortelle, geste immensément populaire représenté ci-dessous.

en plus pressantes, promettent à l'empereur une sagesse désormais exemplaire, et la disparition de toute «saute d'humeur»; François-Joseph, privé de sa femme dans un moment périlleux, lui adresse en retour des mots touchants, éperdus d'amour et d'angoisse. Mais s'il reçoit d'abord Déak, puis Andrassy porteur d'une lettre de l'impératrice, l'empereur ne cède pas; Elisabeth, fâchée, demeure à Budapest. Fin août, est signée la paix avec la Prusse; fin octobre, celle avec l'Italie. L'Autriche perd la Vénétie; la Prusse annexe le Hanovre, la Hesse, le Schleswig-Holstein, Nassau, Francfort, et fonde la Confédération d'Allemagne du Nord.

En septembre enfin, l'impératrice rentre à Vienne : elle a gagné. Six mois plus tard était signé le fameux

En mars 1867, le royaume de Hongrie constitue son premier gouvernement sous l'autorité de Gyula Andrassy, premier président du Conseil, aux côtés de François-Joseph (sous le dais).

compromis définissant la double monarchie, avec deux capitales, Vienne et Budapest, deux parlements, deux cabinets, à l'exception des ministères de la Guerre et des Finances, communs aux deux pays; 70 % des dépenses incombaient à la «Cisleithanie»,

Après la Lombardie, perdue en 1859, la Vénétie échappe à l'Autriche en 1866. De part et d'autre de la rivière Leitha, la

l'Autriche, 30 % à la «Transleithanie», c'est-à-dire la Hongrie. Andrassy, nommé premier président du Conseil hongrois, remercie «la belle providence de la patrie hongroise», Erzsebet.

Le revers des libertés hongroises

Mais les parlements de Bohême et de Moravie sont fermés, et l'éternel comte Crenneville, toujours aussi grincheux en matière de Hongrie, en parle comme de l'«Asie autrichienne». L'archiduchesse Sophie, vaincue, ne décolère pas. Le parti des révolutionnaires de 1848, auquel elle avait voué une haine implacable, l'a emporté, et grâce à sa belle-fille. Cependant, le vieux Kossuth, du fond de son exil, condamna solennellement le compromis austro-hongrois, et

Cisleithanie (Autriche), et la Transleithanie (Hongrie) : Budapest contrôle les Croates, les Slovaques et les Roumains de Transylvanie ; Vienne contrôle les Tchèques, les Polonais, les Moraves, les Slovènes et les Italiens du Tyrol du Sud. La monarchie austro-hongroise se trouve limitée, côté allemand par la puissance prussienne, et vers les Balkans, par l'immensité de l'Empire ottoman.

milita de loin pour l'indépendance de son pays, qu'il voulait intégré à une fédération des Etats de l'empire. Pas davantage il n'approuva le couronnement de François-Joseph dont les préparatifs commencèrent.

Les souverains arrivent le 8 mai à Budapest. Elisabeth, couverte de fleurs et follement acclamée sitôt qu'elle circule, s'installe à Gödöllö, résidence entourée d'un grand parc ombragé ; elle suit de près les tentatives de la gauche hongroise pour troubler les cérémonies et, s'adressant à Horvath, auteur d'une *Lutte pour l'Indépendance*, elle lui dit des mots stupéfiants, qui sonnent comme des excuses symboliques : «Je n'étais pas membre de la dynastie lorsque furent ordonnées, au nom de mon époux, bien des choses qu'il regrette lui-même maintenant. Si c'était en notre pouvoir, nous serions les premiers à rappeler à la vie

«Qui pourrait ne pas voir que l'amour de la nation va aussi, puissant et unanime, à l'impératrice ? Car cette femme si charmante est considérée comme une véritable fille de la Hongrie. On est convaincu que dans son noble cœur brûle l'amour de la patrie, qu'elle a fait sienne non seulement la langue hongroise, mais la façon de penser hongroise, qu'elle a constamment été une fervente avocate des souhaits de la Hongrie.»

Extrait du journal hongrois *Pester Lloyd*

Louis Batthyany et les martyrs d'Arpad.» Pas un mot de trop; Elisabeth possède un sens politique auquel son empereur d'époux demeura toute sa vie insensible.

Le couronnement de Buda

Elisabeth redoute le cérémonial, fût-il hongrois. «Ce sera une terrible corvée, écrit-elle à sa mère... Qu'il doit faire bon à Possi!» Mais sagement, et selon l'usage, elle raccommode elle-même le manteau royal de saint Etienne et les bas du couronnement. Sagement elle répète, le 7 juin. Le 8 juin, le cortège s'ébranle; l'empereur monte un étalon blanc difficile. Elisabeth se retrouve encore dans un carrosse de cérémonie; mais cette fois, sublime dans le costume national hongrois revisité par la maison Worth, de Paris, elle ne sanglote pas d'effroi. Et lorsqu'Andrassy la consacre, chacun peut voir qu'elle a les larmes aux yeux : de vraies larmes de joie.

L'empereur galope sur une colline de terre qu'ont apportée les régions de Hongrie, et là, brandissant

Le palais royal s'étend sur la colline de Buda (réunie à Pest en 1873). A gauche, Elisabeth dans la robe du couronnement; à droite, l'empereur pointant la sainte épée selon le rite antique du couronnement magyar.

Malgré les réticences de l'empereur, qui trouve l'opération trop onéreuse, Elisabeth aménage le château de Gödöllö, tout près de Budapest. De cette demeure du XVIIIᵉ siècle, elle fait un paradis entouré de forêts immenses pour la chasse à courre ; elle y passera plus de temps qu'à Vienne.

son sabre aux quatre points cardinaux, il prête serment. C'est fait. François-Joseph est roi de Hongrie. Une procession de jeunes gens et jeunes filles vient déposer aux pieds d'Elisabeth des brassées de fleurs, d'énormes fruits, des jambons, deux poissons vivants de trente kilos accrochés à des perches, des agneaux, des veaux, un poulain pour Rodolphe, et la couronne de saint Etienne en pâtisserie. Dans ce tableau digne d'un Brueghel, au milieu d'une adoration sans limites, Elisabeth, reine de Hongrie, est devenue à jamais Erzsebet, la petite fiancée des Hongrois.

Fidélités posthumes

Cet amour ne la quittera point. Lorsque, dans les années 1880, elle se consacre à son œuvre poétique, elle décide en 1890 de les confier à la Suisse, avec une mission précise : «Le produit des ventes, dans soixante ans, devra exclusivement servir à aider les enfants en détresse de condamnés politiques de la monarchie austro-hongroise.»

Lorsqu'elle fut assassinée, les Hongrois furent scandalisés de lire sur le catafalque : «Elisabeth, impératrice d'Autriche». La mention «Reine de Hongrie» avait disparu. Il eût fallu ajouter tous les autres peuples de l'Empire, dont Elisabeth aurait été la reine si d'autres couronnements avaient eu lieu ;

le protocole limita les titres de Sissi au seul qu'elle n'aimait pas : impératrice d'Autriche.

Les conséquences de cet amour exclusif ne furent bénéfiques que pour la Hongrie. Avec ce compromis, l'Autriche s'exposait aux revendications identitaires des autres peuples de l'Empire, et fut assez vite en butte aux pressions des Tchèques qui, avec les Slovènes, criaient à l'«infériorisation». La Hongrie n'avait aucun contrepoids dans l'Empire; et aux yeux des libéraux, amis d'Elisabeth, le fédéralisme, solution plus moderne encore, était l'ennemi principal. Plus tard les nationalismes dans l'Empire suscitèrent de violentes réactions antilibérales dont les juifs austro-hongrois furent les premières victimes.

**«Ma main ne caresse que celui-là
La seule vraie «bonne pâte»
En toi, venu de ma chère Hongrie
En toi totale est ma confiance.
Tu renonças au rang et aux honneurs
Tu n'aimais que moi seule
Pour toi j'étais plus qu'une reine
Et tu t'es sacrifié.»**
Poème d'Elisabeth dédié à Andrassy, mort en 1890

L'«ange protecteur» de la patrie magyare plane sur le chagrin désolé d'un hongrois en costume de magnat, cependant que la couronne de saint Etienne – normalement réservée au seul François-Joseph – surplombe symboliquement sa tête. Sur le sarcophage, l'éventail et la paire de gants de Sissi. Cette allégorie hongroise d'Erzsebet fut dessinée après sa disparition en 1898.

Dans chacun de ses châteaux on voit la même image : une fée rayonnante tendrement enlacée avec un homme à tête d'âne. Et lorsqu'en 1880 son époux lui offre un château de plus, baptisé Villa Hermès à cause de la statue du dieu grec, en ciel de lit on la retrouve encore, bercée par des coussins nuageux, entourée de suivantes et de fleurs, la belle fée baisant la laineuse tête aux longues oreilles : Elisabeth en Titania.

CHAPITRE V

TITANIA, SES ÂNES ET SES FÉES

"Dors, et je vais t'enlacer de mes bras… Ainsi la clématite enlace le chèvrefeuille embaumé, ainsi le lierre femelle fait des anneaux aux doigts d'écorce des ormes."
Shakespeare
Titania, reine des fées, à son amant Bottom (ce qui signifie Derrière)

Les ânes, tous des hommes

Le Songe d'une nuit d'été, comédie de Shakespeare, la pièce de prédilection d'Elisabeth, raconte une interminable brouille entre le roi des esprits, Obéron, et la reine des fées son épouse, qui se disputent un petit prince venu des Indes. Charmée par un artifice,

Titania est condamnée à s'éprendre du premier mortel sur qui tomberont ses regards au réveil. L'artisan Bottom, qu'un lutin a coiffé d'une tête d'âne, fera l'affaire, et la reine enchantée aimera follement le monstre rustique. Dans la métaphore qu'Elisabeth choisit pour ciel de lit, rien n'est indifférent : ni le petit prince tiraillé entre père et mère, ni la toute puissance d'Obéron, ni surtout la tête de l'âne.

La Villa Hermès (ci-dessous), cadeau de l'empereur à sa femme, à Vienne. Sa salle de bains (ci-dessus) est décorée de scènes de gymnase grec où s'exercent dieux et héros antiques.

Il ne faut pas s'y tromper : la lucidité de cette femme est sans égale. Les ânes d'Elisabeth sont les hommes qui l'adorent – tous, sans exception. Ses innombrables soupirants, elle les raille cruellement

dans ses poèmes, décrivant Imre Hunyady, le bel enamouré de Madère, couronné de grenades et nourri de bananes ; son écuyer anglais Bay Middleton, Aliboron au poil roux, «au hennissement fort et clair», entre le Centaure et le mulet. La voici qui se pose en Madame Barbe-Bleue, contemplant dans ses armoires les peaux des ânes qui l'aimèrent...

Voyez ses poèmes : seule et maudite, la reine descend de «son trône de lys», et croit trouver l'âme sœur. Las ! A l'instant de l'éveil, ses yeux se posent sur l'éternelle tête d'âne, «chaude et serrée sur mon cœur». Le poème de la solitude s'achève sur un irréfutable aveu :

«Je vais maintenant solitaire
Depuis bien de longues années
Même dans l'Hadès il n'est pas
Homme qui ait compté pour moi !»

Bay Middleton, le meilleur cavalier d'Angleterre, accepte «pour cette fois», de chevaucher avec Elisabeth. Ses façons rudes et arrogantes ne la découragent pas, au contraire ; quant à lui, subjugué, il ne la quitte plus, lui achète de superbes chevaux, accepte même une invitation à Gödöllö. En 1882, il se marie, correspond secrètement avec son idole, et meurt dix ans plus tard... d'une chute de cheval.

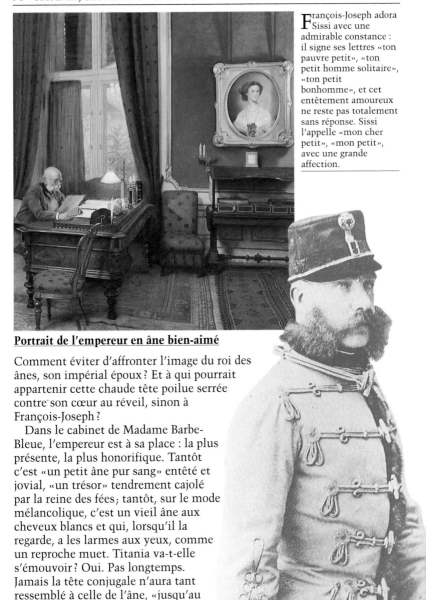

François-Joseph adora Sissi avec une admirable constance : il signe ses lettres «ton pauvre petit», «ton petit homme solitaire», «ton petit bonhomme», et cet entêtement amoureux ne reste pas totalement sans réponse. Sissi l'appelle «mon cher petit», «mon petit», avec une grande affection.

Portrait de l'empereur en âne bien-aimé

Comment éviter d'affronter l'image du roi des ânes, son impérial époux ? Et à qui pourrait appartenir cette chaude tête poilue serrée contre son cœur au réveil, sinon à François-Joseph ?

Dans le cabinet de Madame Barbe-Bleue, l'empereur est à sa place : la plus présente, la plus honorifique. Tantôt c'est «un petit âne pur sang» entêté et jovial, «un trésor» tendrement cajolé par la reine des fées ; tantôt, sur le mode mélancolique, c'est un vieil âne aux cheveux blancs et qui, lorsqu'il la regarde, a les larmes aux yeux, comme un reproche muet. Titania va-t-elle s'émouvoir ? Oui. Pas longtemps. Jamais la tête conjugale n'aura tant ressemblé à celle de l'âne, «jusqu'au

moindre de ses crins». Elisabeth aura beau restituer parfois à son époux la majestueuse figure d'Obéron, l'image qu'elle nous laisse de son François-Joseph demeure pour l'éternité celle d'un petit âne racé et émouvant, mais âne néanmoins. Ainsi se venge la frigidité de la jeune fille légalement violée après trois nuits d'un mariage qu'elle n'aura pas choisi, et qui, contrairement à la Titania de Shakespeare, n'acceptera aucune réconciliation sur l'oreiller d'un lit de roses.

Cela n'exclut pas la tendresse. Et cela n'implique aucune infidélité physique : malgré de fantaisistes élucubrations sur un accouchement clandestin en Normandie, personne n'a jamais rien pu reprocher à l'impératrice. Reste qu'Elisabeth brûle de désirs inassouvis qu'elle apaise sur l'échine de ses chevaux montés à cru, ou par ces marches insensées qui lui taraudent les cuisses et les jambes ; reste qu'elle cherche longtemps celui qui, simple

L'impératrice au galop pendant une chasse à courre, avant les années où elle se consacre à la poésie.

❝Tes cheveux trop tôt blanchis
Etaient un silencieux reproche;
Tant d'années de loyauté,
Les ai-je jamais méritées ?
Pourtant tu me parus alors,
Justement par ta tête grise,
Ressembler absolument à l'âne,
Jusqu'au moindre de ses crins.❞
Poème d'Elisabeth des années 1880-1890

tailleur, ne serait pas empereur et ferait d'elle ce qu'elle ne fut jamais : une femme capable de simple jouissance.

La redoute de Vienne, ou Sissi en domino jaune

Il arriva une fois que la reine des fées descendît pour de bon de son trône de lys.

Janvier 1874. Pour la première fois, éblouissante de beauté, l'impératrice apparaît à un bal de la cour en grand-mère. Février : l'empereur part pour Saint-Pétersbourg. Ce voyage contrarie les Hongrois, au point que l'impératrice pressent qu'elle ne peut retourner à Budapest d'où elle était venue pour le bal. La voici prisonnière à Vienne, et désœuvrée.

Le soir du mardi gras, elle décide de se rendre déguisée à la Rudolfinaredoute, le plus beau des bals du *Fasching*, long carnaval viennois. Sa coiffeuse et sa femme de chambre la préparent, et Ida Ferenczy l'accompagne en domino rouge. Elisabeth, en grand domino de brocard jaune, la tête couverte d'une perruque blonde, porte un loup de dentelle noire et se fait appeler Gabrielle. Les voici installées dans la salle de la Société de musique. Gabrielle s'ennuie. Ida lui suggère de choisir un cavalier qui lui plaise. Distraitement, Gabrielle désigne un jeune homme isolé, qu'Ida rabat habilement, non sans avoir vérifié qu'il n'appartient pas à la cour. Il accepte volontiers de tenir compagnie au domino jaune.

Gabrielle pose trop de questions politiques ; on lui répond aimablement. Jusqu'au moment où elle fait la coquette : quel âge lui donne-t-il ? Presque sûr de son fait, le jeune homme répond exactement la vérité : trente-six ans. Alors Gabrielle se fâche, et son cavalier aussi. Après cette

Elisabeth en costume de grand soir dans les années 1870. A cette époque elle a, selon sa dame d'honneur Marie Festetics, le charme d'une jeune fille et la maturité d'une femme. «Elle est si belle que je n'ai jamais vu sa pareille. Pleine de majesté et si gracieuse à la fois, et sa voix est si douce. Ses yeux sont merveilleux!» En bas de page, un bal en 1870. Pendant le *Fasching*, période de carnaval, tous les corps de métier donnent un grand bal, dont quelques-uns sont masqués. Cette tradition vit encore aujourd'hui.

colère inopinée, Elisabeth se détend, et circule dans la redoute en parlant avec abandon avec son amoureux. Qui devine l'identité de sa danseuse ; car, tout de même, cette inconnue qui frémit dès qu'on la bouscule... De lui, en une soirée, elle saura tout. Son nom – Fritz Pacher –, sa profession – employé de banque –, son âge – vingt-six ans –, et son adresse. L'amour qu'il porte à Heine, et qu'elle partage. Il veut lui ôter son gant – elle refuse ; il cherche à baisser le loup – et le domino rouge pousse un cri. Le lendemain le jeune Fritz court au Prater pour chercher à la surprendre. Peine perdue ; à peine croisera-t-il un regard lointain à la portière de la voiture impériale.

Fritz et «Gabrielle»

Mais une semaine plus tard, Fritz reçoit une lettre de Gabrielle, en provenance de Munich. Une autre en mars, venue de Londres. Une autre encore en avril ; chaque fois, des adresses permettent de répondre. Et Fritz répond, questionne, ose même appeler Gabrielle par son vrai nom, Elisabeth... D'un seul coup, plus de lettres. Gabrielle a disparu. Onze ans plus tard, Pacher reçut une lettre de Gabrielle demandant une photographie. Il répondit qu'il était devenu chauve, mais marié et heureux. Après quatre mois de silence, Gabrielle exigea une photographie de la «paternelle calvitie». Et derechef Fritz se fâcha.

Constantin Christomanos (ci-dessus) fut l'un des lecteurs grecs de Sa Majesté. Contrefait et romantique, il écrira un touchant recueil de souvenirs. Sissi lui déclara un jour : «Vous voudriez faire de moi une Circé ; je me souhaiterais d'en être une. Je métamorphoserais alors beaucoup de gens comme l'ont été les compagnons d'Ulysse.» Christomanos se garde bien de dire en quoi l'enchanteresse de l'Odyssée les avait transformés : en cochons. Ane ou cochon, voici l'homme aux yeux d'Elisabeth. Et pourtant...

Sissi gratte la mandoline à Madère, en compagnie de Mathilde Windischgrätz et Lily Hunyadi, avec, assise à ses pieds, sa sœur, Hélène Thurn et Taxis. A droite, Maria Festetics et Ida Ferenczy, dames d'honneur préférées d'Elisabeth, juchées sur deux ânes à Gödöllö en 1873.

Mais par lettre et, onze ans plus tard, le charme n'agit plus. Il fallut encore deux ans, pour que Pacher reçût un tendre et nostalgique poème en provenance du Brésil, demandant douloureusement «un signe, à la lumière du jour». Il répondit en vers et poste restante; ce fut la fin de l'aventure, dont il eut confirmation au moment de la parution des mémoires de Marie Larisch, *Mon Passé*, en 1913. Le domino jaune dissimulait bien l'impératrice en goguette.

Mais celle qui évoquait si tendrement la rencontre de deux cœurs rangea cependant la peau de Fritz Pacher dans le cabinet de Madame Barbe-Bleue, au registre des ânes préférés...

Ses compagnes, les fées

Pour consoler les chagrins de Titania, autour d'elle se pressent en foule ses fées. Innombrables, elles s'attachent aux pas d'Elisabeth, par fonction autant que par tendresse, femme de chambre ou coiffeuse comme Fanny Angerer, en charge de sa chevelure – le plus précieux de ses fétiches –, ou dames d'honneur qu'elle choisit toujours hongroises : Ida Ferenczy la préférée, Marie Festetics, la comtesse Sztaray. D'elles leur reine exige tout : les marches forcées, le célibat volontaire, une discrétion

Les cheveux de Sissi : son orgueil et son tourment. Fanny Angerer, coiffeuse des comédiennes au Burg Theater de Vienne, devenue coiffeuse impériale pour un cachet égal à celui d'un universitaire, savait dissimuler avec un adhésif les cheveux tombés sur le peigne ; Elisabeth ne supportait personne d'autre pour les trois heures quotidiennes consacrées à sa chevelure. «Je suis l'esclave de mes cheveux», disait-elle, cependant que sa coiffeuse terminait son office avec une révérence : «Je me prosterne aux pieds de Sa Majesté.» Parfois, Fanny prenait la place de l'impératrice au balcon, en voyage, sans que personne s'aperçût de la supercherie.

absolue, et une distance exigeante à l'endroit de la cour de Vienne. Mais de leur reine elles auront sans doute le plus spontané et le plus gracieux, jusque dans l'abattement. Devant son cercueil, Ida sanglote : «Avec elle j'ai tout perdu, mari, enfants, famille, bonheur, ma reine bien-aimée fut tout cela pour moi.» Et, en écho, Marie répond : «Le meilleur d'elle-même nous appartenait... Personne ne nous le prendra, c'est notre trésor.»

Marie-Louise von Wallersee (ici en compagnie de Marie-Valérie enfant), comtesse Larisch et nièce d'Elisabeth, publia en 1913 *Mon passé*. Elle y décrit son impériale parente : «Elisabeth était amoureuse de l'amour, parce qu'il signifiait pour elle le feu de la vie. [...] Mais ses enthousiasmes ne duraient jamais longtemps, sans nul doute parce qu'elle les vivait de façon trop esthétique pour en rendre ses sens prisonniers.»

Lorsqu'Elisabeth eut annoncé à l'empereur le drame de Mayerling, elle alla chercher l'actrice Catherine Schratt (à droite) pour consoler François-Joseph. Quelques jours après la mort d'Elisabeth, l'empereur reprit ses promenades avec «l'amie». Marie-Valérie écrivait : «C'est avec anxiété que je me rappelle le vœu que maman a si souvent exprimé devant moi : que papa épouse Catherine Schratt quand elle ne serait plus. Mais j'entends garder une attitude passive ; compte tenu de la véritable amitié que lui porte papa, je ne puis me comporter froidement à son égard, ce serait inutile et cruel de lui causer cette peine.»

Fées populaires, fées modernes

Un cercle plus loin, et ce sont d'autres femmes, plus exotiques, les cavalières : Elise Renz, fille de l'écuyer de cirque dont raffolait Sissi, et l'autre étoile du «Renz», Emilie Loiset. C'est aussi parce qu'elle excellait à l'équitation que Marie Wallersee, nièce d'Elisabeth, fait partie de ses intimes, bien qu'elle soit fille de son frère Louis et d'une simple actrice, Henriette Mendel. Avec Marie, Elisabeth monte en garçon, vêtue d'un pantalon. Pour entrer dans le second cercle il suffit d'être belle et de savoir monter : l'appartenance à une classe «modeste»

constitue aux yeux de l'impératrice rebelle un vrai titre de noblesse; plus encore, la mésalliance, *meglio ancor* si elle vient d'un mariage d'amour. L'impératrice sera toujours propice aux mariages clandestins, aux enlèvements amoureux, aux intrigues qui transgressent la dure loi des Habsbourg. Lorsque le prince héritier tombe amoureux de la petite baronne Marie Vetséra, Marie Wallersee, comtesse Larisch, n'hésite pas à favoriser ces amours adultères : l'exemple vient de haut, pour Rodolphe comme pour sa cousine.

Les bien-aimés saltimbanques du cirque Renz (ci-dessus). Au centre, son directeur, à gauche, Louise Bridges, et à droite les clowns Beau et Price.

Elisabeth entremetteuse

C'est dans cette indulgence pour l'amour hors-la-loi qu'il faut placer la tendresse d'Elisabeth pour Catherine Schratt, l'amie de François-Joseph. Ce n'est certes pas la première; mais c'est celle que l'impératrice intronise quasi officiellement. L'empereur la remarque en 1883 lorsqu'elle entre au Burgtheater, théâtre officiel subventionné par la famille impériale; et dès lors il s'y rend souvent. Deux ans plus tard Elisabeth la fait inviter à souper après une représentation officielle; elle lui rend visite en compagnie de l'empereur, elle arrange leurs rendez-vous avec la complicité d'Ida, elle les réconcilie après leurs disputes... Catherine Schratt est devenue «l'amie». De qui? Des deux époux. A François-Joseph elle apporte la paix du cœur et peut-être des sens, à Elisabeth la liberté.

«Ce que fait Obéron, Titania n'en a
cure.
Ne point gêner autrui, telle est sa
devise.
Qu'il se régale de chardons et de
châtaignes
Elle ira même volontiers les lui
offrir.»

Carmen Sylva, reine de Roumanie : le cœur à cœur

«Amie» et «sœur», telle est vraiment
Carmen Sylva, poétesse, alias
Elisabeth, reine de Roumanie,
républicaine ardente et non-
conformiste. «O Carmen Sylva, écrit
l'impératrice après leur première

rencontre, si tu
sais lire dans les
cœurs, tu dois savoir que dès cet
instant le mien t'appartenait – à toi
entièrement.» Les deux souveraines
partagent plusieurs passions : la
poésie, la haine de la noblesse et
des monarchies, le spiritisme, la
détestation des mariages
manqués dont elles furent
toutes deux victimes... et
l'adoration de Sapho.
Si forte, la passion de
Sissi pour les femmes,
qu'elle entreprit assez
jeune une collection de
photographies des plus
belles femmes de son
temps, étendant la
beauté jusqu'à
l'extraordinaire,
jusqu'à la femme
de deux cents kilos,
monstre de cirque,
son contraire – ou
son double secret.

Pauline Metternich
(à gauche), la rivale,
femme de
l'ambassadeur
d'Autriche en France,
de retour à Vienne en
1871, arbitrait les
élégances avec d'autant
plus de
perfectionnisme qu'elle
haïssait l'impératrice, à
qui l'on reprochait de
ne pas remplir ses
fonctions de
représentation. Les avis
malveillants qu'elle
avait coutume de
porter sur ses
contemporains lui
avaient valu le surnom
de «Mauline»
Metternich, de *Maul*
(en allemand, mauvaise
langue).

Elisabeth Wied, reine de Roumanie (ci-contre et page de gauche, en haut), l'amie de cœur. De son nom de plume Carmen Sylva, épouse de Carol Ier de Roumanie, elle écrivait romans, poèmes, drames et prêches en différentes langues. Elle disait de Sissi : «Les hommes voulaient imposer à une fée le harnais d'un protocole rigide et guindé ; mais la petite fée ne se laisse pas asservir, elle étend ses ailes et s'envole quand le monde l'ennuie.»

"Je ne puis que sympathiser avec les sociaux-démocrates, surtout lorsque je vois combien les grands seigneurs sont fainéants et dépravés ; ces braves gens ne veulent, au bout du compte, que ce qui est donné de nature : l'égalité. Le régime républicain est le seul raisonnable ; je ne comprendrai jamais les peuples insensés qui nous supportent encore.**"**

Extrait du *Journal* de Carmen Sylva

«Kedvesem», la fille préférée

Et ses filles? Après la tragique mort de l'enfant Sophie à Budapest, restaient Gisèle et Marie-Valérie. Gisèle, élevée par sa grand-mère, lui échappa; et c'est à Marie-Valérie qu'Elisabeth réserva tout ce qu'elle avait d'amour maternel. Marie-Valérie

fut l'enfant élue, l'enfant divine, conçue et née en Hongrie avec ferveur, comme pour être offerte à la patrie du cœur d'Elisabeth; élevée en hongrois, surnommée «Kedvesem», la chérie, l'enfant demanda un jour à son père… l'autorisation de parler allemand. «Tout ce qui me reste au monde… tout ce qu'on m'a laissé», écrivait Elisabeth à propos de sa fille bien-aimée. Tourments, adorations, folles inquiétudes, amour sauvagement possessif, elle les réserva à l'enfant de la Hongrie.

Marie-Valérie (ci-dessus avec son mari, l'archiduc François-Salvator), la «chérie», objet de toutes les angoisses maternelles d'Elisabeth, écrit dans son journal : «L'amour excessif de maman me pèse souvent comme une insupportable faute.» A gauche, en bas, un dessin qu'Elisabeth fit pour sa fille.

Rodolphe, le sosie de sa mère

Son fils Rodolphe pourtant lui ressembla plus que cette sage fille dont les rigidités rappelaient celles de l'empereur. Oui, Rodolphe, l'héritier, reproduit entièrement sa mère : farouchement rebelle à l'empire, républicain, franc-maçon, plein de foucades et de révoltes, celui qui mourut aux côtés d'une enfant aussi jeune que sa mère lorsqu'elle devint impératrice semble vouloir lui offrir sa copie conforme. Il faudra le deuil pour qu'Elisabeth comprenne ce qu'elle a perdu. Seule, voilée, elle se rend à une autre redoute, clandestine et funèbre. Incognito, elle se fait ouvrir la crypte des Capucins pour tenter de communiquer avec l'âme de son fils, enterré depuis quelques jours. En vain… « Il n'y a rien au-delà », dira-t-elle.

Stéphanie de Belgique épouse à seize ans le prince héritier, en 1881, non sans exhiber avec ostentation ses richesses de princesse « bien née ». Sa belle-mère, qui la méprisait, lui jeta après la mort de Rodolphe : « Tu as haï ton père, tu n'as pas aimé ton mari et tu n'aimes pas non plus ta fille ! »

Rodolphe rédige à dix-neuf ans un pamphlet – anonyme –, *La Noblesse autrichienne et sa mission constitutionnelle*, où il exprime déjà, comme sa mère, des sentiments égalitaires, libertaires et républicains. Grand ami des franc-maçons français, anticlérical, le prince héritier se montre lucide sur la monarchie austro-hongroise. La veille de sa mort, il écrivit dans un billet à sa sœur Marie-Valérie : « Le jour où papa fermera les yeux, les choses deviendront dangereuses en Autriche. Je sais trop bien ce qu'il adviendra et je vous conseille alors d'émigrer. »

Louis de Bavière, ou l'amour sans risques

Entre les hommes, ânes gentils ou cochons, et les femmes, possibles fées autour d'elle, se situe l'inévitable soupirant homosexuel. Epris d'elle sans risque, jouant sa fonction royale aux dés de l'art et de la musique, protecteur ambigü de Richard Wagner, Louis II de Bavière, cousin d'Elisabeth, vénère la pureté des femmes pour lesquelles il n'a aucun goût. Passagèrement, il commet la folie de se fiancer avec l'une des sœurs de Sissi, Sophie, qu'il délaisse assez vite avant de se livrer à une vie nocturne et excessive, jusqu'à ce qu'on l'enferme. Elisabeth n'abandonne pas son cousin, au contraire ; il est l'aigle des montagnes, elle la mouette marine, et le lac de Starnberg, en Bavière, est leur refuge. C'est là qu'il trouve la mort, noyé avec son médecin, loin dans les eaux, alors qu'Elisabeth se trouve justement ce jour-là sur l'autre rive.

Fou, Louis II ? C'est de ce moment précis qu'on commence à jaser sur la folie de l'impératrice. Mais sur ce point Elisabeth se pose en philosophe, elle qui pouvait dire à Christomanos : «J'incline à tenir pour raisonnables tous ceux que l'on nomme fous. La véritable raison est souvent tenue pour une dangereuse folie.»

«Amoureuse, amoureuse ! Et donc, sotte...»

Lorsque Marie-Valérie se fiance avec l'archiduc François-Salvator, Elisabeth prend leur parti, puisqu'ils s'aiment, et puisque l'empereur est hostile à cette union.

Mais à la même époque, elle écrit *A mon enfant* : «Amoureuse, amoureuse ! Et donc, sotte...

En 1867, Louis II, roi de Bavière, se fiance avec Sophie, sœur d'Elisabeth. Mais celui qui se surnommait lui-même «le roi vierge», s'il baptise sa fiancée Elsa, comme dans le Lohengrin de Wagner, son idole, recule devant le mariage et, pour finir, y renonce brutalement lorsque le duc Max lui pose un ultimatum. Sophie, devenue duchesse d'Alençon, brûlera vive dans l'incendie du Bazar de la Charité.

De quoi sert d'avoir enfanté
Et pour l'amour de toi renoncé
A une vie où, telles les fées,
J'allais libre de par le monde ?
Ce qui t'enlève loin de moi
C'est l'amour d'un pâle garçon
Je te l'avoue en vérité
Pour moi, je n'en
voudrais pas
Aussi, endeuillée je
déploie
Mes grandes ailes
blanches
Pour rentrer au pays
des fées
Et rien ne me ramènera. »
Car pour les simples
mortels les fées n'ont
point d'amour.

Louis II en 1885 (à gauche), dix-huit ans après ses fiançailles, et en 1886 sur son lit de mort (ci-dessus). Excentrique, dépensier, oiseau de nuit vivant une débauche romantique, Louis II fut très aimé de ses sujets. Gênant pour ses proches et son gouvernement, il fut déclaré incapable le 8 mai 1886, interné le 11 juin à Berg, et trouvé noyé le 13 juin, fort opportunément. Dans un poème, Elisabeth fait dire à Louis II : «Mieux valait qu'ici mon cœur s'arrête Que de dépérir dans un cachot !»

Parmi les innombrables dieux de pierre qui peuplent sa villa de Corfou, l'impératrice vénère les statues de deux hommes : Achille et Heinrich Heine. Pour les mondes que chacun d'eux représente, elle entretient une passion durable. Obnubilés par l'exceptionnelle beauté d'une femme qui cherche à tout prix à la dissimuler, les adorateurs de Sissi font l'impasse sur ce qu'elle désira sans doute le plus au monde : laisser à la postérité une pensée et une poésie.

CHAPITRE VI

SISSI JUGENDSTIL

La villa d'Elisabeth à Corfou (à gauche, son péristyle), fut appelée l'*Achilleion* en mémoire d'Achille, le héros grec époux de la reine des Amazones, Penthésilée.

La reine des Amazones

L'Achille de marbre de l'*Achilléion* agonise, frappé en son point faible, le talon. Le surnom du héros grec, «aux pieds légers», s'accorde avec la marcheuse forcenée et l'infatigable voyageuse. Mais Achille, selon la légende, fut aussi l'époux de la reine des Amazones; étrange et indomptable souveraine d'un peuple de guerrières qui capturent les géniteurs de leurs enfants avant de les massacrer, et qui coupent leur sein droit pour passer plus commodément l'arc en travers de la poitrine. Selon une version reprise par Kleist, l'épouse éphémère d'Achille, Penthésilée, le tue à coups de flèches, puis le dévore avant de périr de chagrin. Aucun fantasme n'est plus agressif envers l'homme que celui de reine des Amazones; or amazone, l'impératrice le fut, au point d'excéder ses sujets autrichiens.

"Mais me voilà de retour chez moi, dans les criques, Quand les orages de la vie me deviennent déplaisants. Ce que nous cherchions, mes mouettes et moi-même, C'est ici que je le trouve : que le monde nous laisse en paix.**"**

Dans le hall de la villa, une fresque représente le triomphe d'Achille traînant le corps d'Hector sous les remparts de Troie. «Pour moi il personnifie l'âme grecque, la beauté du paysage et des hommes. Je l'aime aussi parce qu'il avait le pied si léger, fort et hautain, il méprisait les rois et les traditions, tenait pour rien les masses humaines ; la mort le faucha comme un brin d'herbe. Il ne considérait comme sacré que son propre vouloir, ne vivait que de ses propres rêves, et son deuil lui était plus cher que la vie tout entière.» C'est Christomanos qui rapporte ces propos d'Elisabeth. Ci-dessous, la célèbre statue d'Achille mourant – dont seul le talon était vulnérable.

L'écuyère absolue

Jusqu'en 1882, Elisabeth pratique l'équitation avec acharnement ; s'y mêlent tout à la fois les souvenirs de l'enfance bavaroise, l'amour de la Hongrie et de ses chevaux libres et, surtout, la fugue éperdue loin des simples mortels. Chasses à courre à l'île de Wight, en Angleterre, en Irlande, en Normandie, entraînement intensif à Vienne sur l'hippodrome de la Freudenau, puis, par glissements progressifs du plaisir, sauts d'obstacles de plus en plus acrobatiques, enfin, exercices de haute école dans un vrai cirque – comme le duc Max autrefois : il n'est rien que Sissi n'ait éprouvé à cheval. Pas même les chutes dangereuses : le 11 septembre 1875, à Sassetôt-le-Mauconduit, en Normandie, son cheval Zouave désarçonne son impériale cavalière qui tombe évanouie.

Absences, nausées, migraines : c'est une commotion cérébrale. Ce n'est pas cela qui arrêtera l'intrépide amazone qui continue de transporter à grand frais ses multiples et coûteux chevaux, non : c'est le mariage de son écuyer écossais, Bay Middleton, l'Aliboron au poil roux qui soudain lui fait défaut. Et soudain elle s'interrompt. On la verra encore à une revue militaire à Vienne, immobile sur son cheval bien-aimé, Nihiliste.

Aux marches, succédané d'équitation, elle ajoute l'escrime – deux heures par jour – et les bains de mer – trois fois une demi-heure par jour. L'époque des Centaures s'achève – mais celle de la Grèce commence. A Leucade, elle se recueille sur le promontoire d'où Sapho se jeta dans l'abîme ; sur les ruines de Troie que Schliemann a découvertes, elle médite sur le tumulus légendaire où la rumeur veut qu'ait été enterré

Les Autrichiens n'aimaient guère les acrobaties équestres de leur impératrice. La femme de l'ambassadeur de Belgique non plus, qui écrit : «Cette femme est vraiment folle, et si elle n'amène pas la République en Autriche, c'est qu'on y est de bien braves gens encore. Elle ne vit que pour son cheval. Ce serait un bonheur si elle se cassait le bras de façon à ne plus pouvoir le raccommoder.»

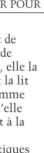

le héros au talon vulnérable, l'amant de Patrocle et l'époux de l'Amazone. L'Iliade, elle la connaît par cœur et la lit dans le texte. Et comme par hasard, alors qu'elle rêve inlassablement à la mort d'Achille, d'abominables sciatiques commencent à torturer l'une de ses jambes.

L'adoration pour Heine, ou l'amour de la révolte

Heinrich Heine : à gauche, un portrait de jeunesse ; en bas, la statue érigée par Elisabeth à Corfou.

"Je me hâte vers le royaume des songes,
O mon maître, c'est là que tu es,
Mon âme enthousiasmée
Déjà vole vers toi (...)
Longtemps encore, chaque soir
Je me tiens devant ton image
Et l'ensevelis dans mon cœur
Pour qu'elle apaise mon supplice.**"**
A mon Maître

L'autre passion lui naît en même temps que l'amour d'Achille. Qu'avait donc Heinrich Heine, poète rebelle, révolutionnaire exilé, ami de Karl Marx et juif libéral, pour susciter chez l'impératrice une telle vénération ? Elle va rendre visite à la sœur de Heine, qui la reçoit avec émotion ; elle connaît si bien son œuvre qu'on vient la consulter comme une spécialiste ; pour son «maître», elle soutient un comité destiné à l'érection d'une statue, et en finance publiquement la commande au sculpteur qui déjà avait immortalisé la mort d'Achille, Ernst Herter. Or, depuis qu'en 1873 un krach boursier a ruiné de nombreux Viennois à l'exception des Rothschild qui avaient pressenti le coup, l'antisémitisme se déchaîne dans la capitale de l'empire. A la fin des années 1880, l'engagement de l'impératrice dans la commémoration d'un poète juif révolutionnaire et exilé fait scandale ; la presse antisémite la déclare «valet des Juifs», cependant que la presse libérale chante au contraire ses louanges. Elisabeth doit renoncer, et érige à Corfou sa statue personnelle de Heine : assis, malade, fatigué, et en chemise. Oui, qu'avait donc Heine pour avoir tant séduit Sissi ?

Qu'il soit le plus célèbre poète juif allemand de son temps, plus simplement encore, qu'il soit juif, voilà qui détermine

puissamment Elisabeth. Non que l'empire soit antisémite par essence, bien au contraire. Par amour pour le peuple d'Israël, Elisabeth étudie Juda Ben Halévy, et invoque «le grand Jéhovah». Mais ce ne serait pas suffisant si ne s'y ajoutait, venue de la tradition de l'humour juif et inscrite dans le tissu poétique de son œuvre, la causticité iconoclaste d'un Heine qui s'en prend à tout ce que Sissi déteste : les aristocrates, la cour, l'hypocrisie, la monarchie, l'empire.

Vengeance contre la cour d'Autriche

Un jour de sourde rébellion contre l'archiduchesse Sophie, la toute jeune impératrice avait trouvé sur son bureau une méchante allusion à Marie-Antoinette, qu'une main hostile avait laissé traîner là, comme par hasard. Or l'un des mérites les plus sûrs de Heine, et celui qui lui fut le plus violemment contesté par la droite conservatrice autrichienne, c'est un poème du *Romanzero*, qui décrit le petit lever de «l'Autrichienne» au Pavillon de Flore, au milieu d'une cour de fantômes. *Marie-Antoinette* est une œuvre féroce : toutes ces dames sont décapitées,

Réunion du groupe sioniste au café Louvre en 1896; au fond, Theodor Herzl, journaliste sioniste, auteur de *L'Etat des juifs*, né à Budapest, établi à Vienne, parfait représentant de la culture viennoise, et profondément imprégné du *Délibab*, l'utopie hongroise par excellence entre rêve et réalité. A Vienne, les juifs sont 7 000 en 1857, 175 000 en 1910; à Budapest à la même date, ils forment 25% de la population, soit 203 000 environ. Le très antisémite maire de Vienne, Karl Lueger, parle de «Judapest».

«Sa Majesté n'est pas frisée», elle, «la fille de Marie-Thérèse, la petite fille de tant de Césars allemands», et la Grande Maîtresse de Chambre, ne pouvant sourire puisqu'elle n'a plus de tête, sourit «du derrière». Ce derrière impertinent se retrouvera sous la plume de Sissi, qui le montre à ceux qui la lorgnent; quant à la haine de l'empire, elle éclate dans de nombreux poèmes d'Elisabeth, qui va jusqu'à faire rêver François-Joseph d'abdication au bénéfice de la République.

Ironique comme le duc Max composant ses «rimes hépatiques», tendre sous la cuirasse, amoureux de la nature, rêvant de fantômes, épris d'épopée, célébrant les dieux grecs, désespéré mais républicain, Heine représentait en effet l'autre idéal masculin de Sissi : celui de l'héritage paternel, attaché aux valeurs rebelles et hostile à tous les conformismes.

Tziganes, juifs et noirs

Comme son père, Sissi adore les Tziganes; ils peuplent le parc de Gödöllö au grand effroi des valets impériaux qui méprisent cette «racaille» nourrie par l'impératrice. Comme son père, elle fait venir un couple de sœurs siamoises noires, et s'attache à un jeune Africain, Rustimo, qu'elle fait baptiser. Comme Heine, elle espère en la disparition des rois et l'avènement des «peuples de droit divin»; comme elle enfin, mais à son insu, son fils Rodolphe – dont le meilleur ami est le rédacteur du *Neue Wiener Tagblatt*, le juif libéral Moritz Szeps – s'engage à fond dans la lutte contre la monarchie paternelle.

Rodolphe mourut à Mayerling. Et Bismarck condamna dans une dépêche

L'«édit de tolérance concernant les juifs viennois», signé par Joseph II en 1782, ouvrit une ère d'émancipation pour les juifs de l'empire, achevée en 1867. François-Joseph se posait en protecteur des juifs, *Staatsvolk* (peuple d'Etat) par excellence, au contraire des dangereuses revendications nationalistes. C'est pourtant à Vienne, et malgré un renoncement des juifs à leur identité religieuse, que naquit un violent courant antisémite, incarné par le bourgmestre Karl Lueger. Ci-dessous, conversations entre juifs Galiciens.

au ministère des Affaires étrangères la passion de l'impératrice pour le poète qui bafoua les Hohenzollern et le peuple allemand. Si l'engagement de Sissi en faveur des poèmes de Heine avait été sans portée politique, il n'aurait pas pris la dimension d'une affaire d'Etat.

Mais Elisabeth n'a pas d'attrait pour les joutes politiques et les jeux de pouvoir. Sa seule action d'éclat, c'est d'avoir favorisé l'établissement de la double monarchie, sans deviner les tyrannies hongroises envers leurs minorités ; pour le reste, et dès qu'elle devient impératrice, elle n'intervient que pour demander à l'empereur des actes de clémence. Car il est une autre raison qui la rattache à Heine : c'est un authentique humanisme, dont le sens ne peut apparaître qu'aujourd'hui, un siècle après sa mort.

Humanitaire avant l'heure

Contemporaine d'Henri Dunant, le principal fondateur de la Croix-Rouge, Elisabeth n'est jamais si tendre qu'au chevet des abîmés de la vie. Innombrables les épisodes qui la rattachent à la grande Elisabeth de Hongrie, de Thuringe, son illustre aïeule, la sainte des pauvres et des déshérités. Dès 1863, à vingt-huit ans, à Bad-Kissingen où elle suit une cure, elle conduit un vieux duc aveugle et promène un Anglais paralytique ; après les batailles autrichiennes elle s'assied auprès des blessés qu'on va opérer, et leur tient la main ; en 1874 à Munich, elle visite un hôpital de cholériques, au mépris de la contagion, et touche les mains en sueur des mourants. Elle assiste sa belle-mère tant haïe, pendant son agonie, et la veille jusqu'au bout sans prendre de nourriture. En 1871, pour cadeau d'anniversaire, elle demande à François-Joseph un asile d'aliénés tout équipé : ce sera le Steinhof, sur les collines qui dominent Vienne, et qu'elle ne verra pas de son vivant.

Georges Clemenceau (à gauche), que des liens familiaux rattachent à l'Autriche, sera souvent accusé en sourdine d'avoir, avec le traité de Versailles, favorisé le dépeçage de l'empire après la Première Guerre mondiale.

Beau-frère de Paul Clemenceau, Moritz Szeps est rédacteur en chef du journal libéral *Neuer Tagblatt* ; il exerce sur le jeune prince héritier, qui le rencontre à vingt-trois ans, une grande influence, notamment anticléricale et républicaine. Szeps publie dans son journal tous les écrits politiques de Rodolphe.

Touchante figure de parfaite épouse au cœur charitable, la sainte patronne d'Elisabeth (ci-contre) est vénérée dans toutes les églises de Budapest.

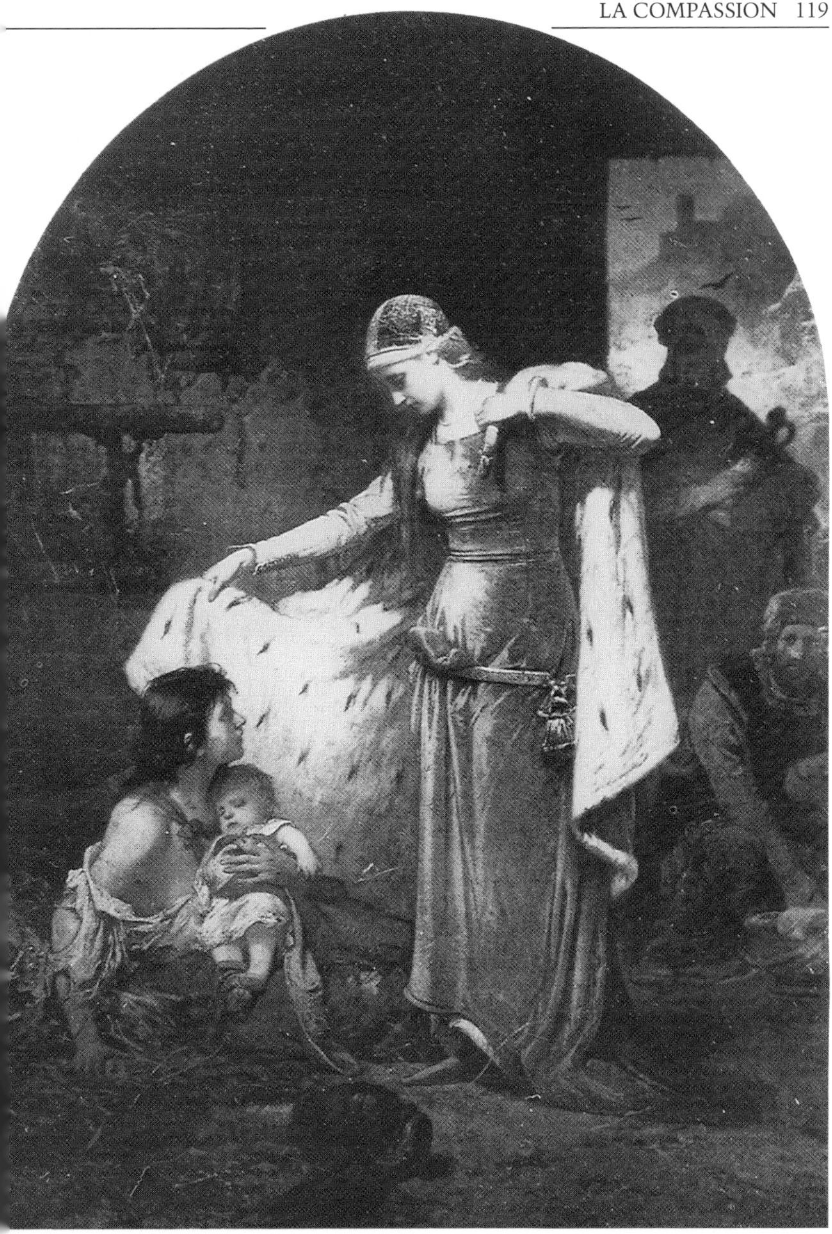

Cette dimension d'Elisabeth s'interprète comme une morbide attirance pour la mort et la maladie; l'on y voit les prémices de l'«apocalypse joyeuse», et des morbidités de Klimt ou d'Egon Schiele. Un œil moderne y verra aujourd'hui tout autre chose : cette femme sut anticiper l'avenir comme personne, au point même d'éprouver le pressentiment des actions humanitaires qui sont à l'ordre du jour de la fin du XXe siècle. Alors que ses contemporains s'éveillent à la conscience des droits de l'Homme, elle entreprend des actions hautement symboliques, parfois dangereuses, toujours spectaculaires, et qui désignent à l'opinion publique les points de fragilité de la société qui l'entoure. Les infirmes, les blessés des batailles, les réfugiés politiques, les cholériques, l'accompagnement des mourants, les aliénés : elle a tout vu, et tout compris. Et elle eut le simple courage d'y aller pour de bon. Il aura fallu un siècle entier, deux guerres mondiales et quelques révolutions philosophiques pour que les Etats fassent entrer ces problèmes dans la chose publique.

Sissi visitant une soupe populaire. En 1886, elle se rend dans l'asile de Bründfeld; dans la section des internées «calmes», soudain, une femme de vingt-huit ans bouscule Elisabeth en criant et veut lui arracher son chapeau. «Elle se prétend l'impératrice, hurle la folle, quelle audace! L'impératrice c'est moi!»... Elisabeth quitte la salle, puis revient, malgré les réticences du médecin; elle relève la malade qui pleure à ses pieds, et la console. L'impératrice se rend encore à l'asile d'aliénés de Redlam à Londres et celui de Munich; on en déduit qu'elle est folle.

Mystique, génie, Narcisse

Alors le personnage qu'elle voulut incarner, en tanguant comme un grand oiseau parfois lucide, souvent aveugle, se cognant aux barreaux de sa cage, mais piquant du bec pour ouvrir toutes les portes de la liberté, prend un autre relief. Oui, Sissi préfigure la modernité viennoise, devenue un étrange mythe pour notre temps; oui, elle participe tout à la fois du

mystique, du génie et du Narcisse, catégories qui selon Jacques Le Rider définissent la subjectivité douloureuse de *Vienne 1900*.

Mystique, Sissi s'abandonne aux recherches spirites, à l'époque où Freud tâte de la cocaïne avant de plonger dans l'Achéron de l'Inconscient, juste avant qu'à Budapest, Sandor Ferenczi tente des expériences sur la transmission de pensée; hantée par l'idée du génie, elle emprisonne son œuvre poétique jusqu'en 1950, signe certain de la plus profonde motivation de l'écrivain, le passage à la postérité; et narcissique, elle soigne sa beauté pour elle seule et ses femmes, puisqu'à tous elle la dissimule derrière son éventail de cuir et sa grande ombrelle. Pour qui cultive-t-elle son corps avec des gymnastiques incessantes, sinon pour l'idéal d'un être abstrait, âme plus que corps, et qu'elle bâtit à force de

C'est à la veille du XXᵉ siècle que l'étude du psychisme focalise l'attention d'un large public, grâce à Krafft-Ebbing (*Psychopathologie sexuelle*, 1886), aux premiers travaux de Freud (*Etudes sur l'hystérie*, en collaboration avec Breuer, 1895), au théâtre d'Arthur Schnitzler (la *Question au Destin*, qui met en scène l'hypnose). En bas, une hystérique en transes, pendant l'une des séances hypnotiques du professeur Charcot à la Salpêtrière, à l'époque où Freud y est étudiant (1885-1886). Ci-contre, au cours d'une séance de spiritisme, «matérialisation» de l'esprit d'une femme, visible à la droite du medium endormi.

volonté ? Pour qui supporte-t-elle quotidiennement, sa vie durant, l'épreuve des trois heures nécessaires pour dompter sa longue chevelure bouclée, qui la fait ressembler à une sorte de bête au pelage fauve ?

Contre toutes les normes

Et puisque Jacques Le Rider ajoute à sa définition de la modernité viennoise la confrontation décisive entre le juif et le non-juif, il est clair que Sissi se place du côté du juif, de l'androgyne, de tout ce qui perturbe les catégories établies. Elle sera du côté des Hongrois, du côté de l'Irlande indépendante, du côté des Tziganes, du côté des infirmes et même du côté des animaux, en ce qu'ils ont d'encombrant, d'indiscipliné et de désordonné. Parfois, elle sera mal vêtue, mal coiffée, vieille sauvageonne laide à regarder ; puis tout soudain elle sera l'Amazone sculpturale sur son cheval Nihiliste, et rien ne bougera sur ses traits.

Sur ses photographies elle ne rit jamais, sourit rarement, tant, dit-on, serait demeuré vif le souvenir humiliant des «dents jaunes» repérées par l'archiduchesse Sophie au jour même de ses fiançailles ; mais, parfois, elle pique des fou-rires comme une adolescente. A la regarder sous un jour neurasthénique, on manque l'essentiel de son art : celui de la contradiction. Cultivant la perfection de son image, et détestant le regard de l'autre, confiante en son génie poétique, mais affectée de remords et de culpabilités, haïssant Vienne qui lui aura cependant donné, comme par contagion, le *Wiener Selbsthass*, la fameuse «haine viennoise de soi», Sissi vit en état de crise permanente. En état d'anarchie.

La célèbre *Judith* de Gustav Klimt (à gauche). Sissi ne remarqua pas Klimt lorsque le peintre Makart lui confia les fresques de la Villa Hermès ; ci-dessous, la couverture de *Ver Sacrum* (le printemps sacré), un numéro de la revue du mouvement de la Sécession, réalisé par Alfred Roller en 1898. Le *Jugendstil* dont Klimt est le héros, prône l'ornementalisme, la «torpeur moniste» qui plonge dans l'élément végétal, la liane, la plante grimpante, le décoratif et le narcissisme.

Portrait d'Elisabeth, réalisé en 1883 d'après des photographies, par Anton Romako, mort prématurément dans d'obscures conditions à Vienne en 1889. En 1891, le chroniqueur Rudolf Lothar écrit : «Une nerveuse sensibilité marque cette fin de siècle. Nous voudrions appeler ce courant féminisme, car tout se passe comme si la volonté féminine de puissance, de concurrence des femmes avec les hommes, avait pour conséquence que l'hypersensibilité féminine du regard, du plaisir, de la pensée, du sentiment, se communique à l'homme et l'envahit.»

«Ver sacrum»

Moderne, à s'en user la peau, moderne à s'en user le cœur. Tout en elle pressent le *Jugendstil*, ce mouvement d'avant-garde viennois aux exigences de jeunesse. Sécession, printemps, divorce et jeunesse, la voilà tout entière, doublée, comme une soie par le velours, des nudités funèbres de Klimt. Mais on aurait tort de ne voir là que l'éternelle mort viennoise :

Mythologie de la «tristesse du vieil empereur» accablé par les malheurs familiaux, en couverture du *Petit Journal*. De haut en bas : sa cousine Mathilde, brûlée vive en allumant une cigarette (1867); son frère Maximilien, empereur du Mexique, fusillé à Queretaro en 1867; son fils Rodolphe, suicidé en 1889; Sophie d'Alençon, sa belle-sœur, brûlée vive dans l'incendie du Bazar de la Charité en 1897; sa femme Sissi, poignardée en 1898; ses petit-neveux, l'archiduc héritier François-Ferdinand et son épouse, assassinés à Sarajevo le 28 juin 1914.

car les historiens d'aujourd'hui, qui repensent l'Europe centrale après la fin de Yalta, insistent sur le formidable dynamisme économique et culturel de l'Autriche-Hongrie à la veille de la Grande Guerre. Tout y est vitalité; et tout en Sissi témoigne jusqu'à son dernier jour d'une formidable vitalité.

Elle voyagera, marchera, inlassable. Elle refusera tout portrait, toute photographie qui pourraient dévoiler l'altération de la vieillesse. Elle forcera son corps malgré les souffrances de l'âge, et voyagera encore, marchera, toujours aux limites. Et c'est en connaissant bien les périls des groupes anarchistes qu'elle s'arrête à Genève, un jour somme toute heureux de septembre 1898, et qu'elle s'avance à la rencontre du jeune homme inspiré qui ajustera pile

Une image exceptionnelle de l'impératrice (ci-contre), en cheveux, sans sa couronne de tresses, en compagnie d'Ida Ferenczy, à Noël 1891. A droite, contre le buffet, ajouté après-coup, un montage de photographies en médaillon.

le coup de son poinçon... Si finement aiguisé qu'elle ne saura pas reconnaître sa propre mort. Sur l'une de ses belles épaules, elle a fait tatouer une ancre de marine dont Lucheni ne devinera pas l'existence.

Entre le serpent et l'oiseau

Marie Festetics écrivait d'elle : «Elle tient du cygne, du lys, de la gazelle, mais aussi de Mélusine. Reine et fée à la fois, et pourtant tellement femme.» Sissi avait alors trente-sept ans. Elle a plus de cinquante ans lorsque son lecteur grec Christomanos la trouve un matin à Schönbrunn, en train de faire des anneaux. «Elle portait une robe de soie noire à longue traîne, bordée de superbes plumes d'autruche noire... Suspendue aux cordes, elle faisait un effet fantastique, tel un être entre le serpent et l'oiseau.» Cette Sissi irréelle appartient à la légende qu'elle a, par sa dissimulation, suscitée, entraînant dans son sillage des générations d'amoureux qui contemplent une beauté d'autant plus magique qu'elle était, de son vivant, insaisissable.

Mais entre le serpent et l'oiseau cette Mélusine sut inventer des comportements nouveaux, incompréhensibles pour ses contemporains, et générateurs de haines tenaces. Qui, dans l'Autriche de la fin du siècle, aurait pu comprendre ce qu'avaient de révolutionnaires ses passions libertaires, sa critique du régime impérial, sa phobie de l'exercice de la représentation publique ? Qui aurait pu déceler la dimension humanitaire de cette femme trop belle pour être crue ?

L'intolérable souffrance de la beauté

Car les psychanalystes le disent : la trop grande beauté est insupportable. Cette étrange épreuve psychique, Sissi la connut dès son départ de Bavière ; il lui fallut transformer l'effet agressif du regard des autres en force intérieure, à coup de sauvagerie et de malaises, quitte à assassiner en elle, par instants, cette intolérable beauté.

Telle la sirène d'Andersen qui décide de se frotter au monde des hommes, et qui, ayant perdu par amour ses nageoires de poisson, souffre sur des pieds de femme comme si des milliers d'aiguilles lui transperçaient le corps.

Mais tel aussi Achille, demi-dieu en proie à une perpétuelle colère, héros qui fit de son épopée une crise violente jusqu'au moment où Apollon le tua d'une flèche divine, le rendant à une éternelle jeunesse.

Telle enfin qu'en elle-même Sissi nous est rendue dans son actualité, pour peu que l'on oublie les trop puissantes images des fastes impériaux, brillante et dure coquille qui défigura longtemps la jeune fille rebelle qu'elle ne cessa d'être jusqu'à son dernier souffle.

Lorsqu'elle eut fini ses poèmes, Elisabeth les déposa dans une cassette scellée à la Hofburg, pour qu'ils soient remis à sa mort à son frère Charles-Théodore. Elle y avait joint cette lettre : «Chère âme du futur. C'est à toi que je lègue ces écrits. Le maître me les a dictés, et c'est lui aussi qui a fixé leur destination : ils devront être publiés soixante ans après cette année 1890, au profit des condamnés politiques les plus méritants et de leurs proches dans le besoin. Car il n'y aura pas dans soixante ans plus de bonheur et de paix, c'est-à-dire de liberté, sur notre petite planète qu'il n'y en a aujourd'hui. Peut-être sur une autre ? Je ne suis pas en mesure de te le dire aujourd'hui. Peut-être quand tu liras ces lignes... Avec mon cordial salut, car je sens que tu me veux du bien. Titania. Ecrit en plein été 1890, dans un train spécial qui file à vive allure.»

Septembre 1992 : au Théâtre An Der Wien, création d'un Elisabeth «musical» de Michael Kunze et Sylvester Levay, mise en scène d'Harry Kupfer. Costume de Sissi en mouette (à gauche), par Reinhard Heinrich.

TÉMOIGNAGES
ET DOCUMENTS

Conséquence visible
de la grande ouverture des barbelés de l'Est des années 90 :
se tint en 1991 dans la petite ville autrichienne d'Eisenstadt
une exposition intitulée : «Erzsebet, reine de Hongrie».
Eisenstadt, charmante capitale de la province du Burgenland
qui longtemps appartint à la Hongrie, et ville natale de Haydn,
est assez près de l'actuelle frontière
pour que le public hongrois s'y précipite en rangs serrés.
Au pied d'une des statues d'Elisabeth,
se trouvait un bouquet de fleurs fraîches avec un petit mot :
«A magyarszeretö Erzsebetnek tisztelettel,
Szombathely vàros polgarai ès idegenvezetoi»
(A Elisabeth qui aimait les Hongrois,
les citoyens et les guides de la ville
de Szombathely reconnaissants).

Le mythe d'Erzsebeth n'est pas mort.

Les poèmes de Sissi

Ce gros volume, publié à l'Osterreichische Akademie der Wissenschaften à Vienne, comprend les «Chants de la mer du Nord», les «Chants d'hiver» et le «Troisième Livre»; faute de pouvoir être versés aux enfants des prisonniers politiques hongrois persécutés par l'Autriche, les droits d'auteur vont aujourd'hui au Haut Commissariat aux Réfugiés.

Le bureau de Sissi à Budapest (1880-1890).

L'impératrice de la solitude

Le thème de la solitude, l'une des légendes les plus fortes de l'impératrice Elisabeth, parcourt de nombreux poèmes. (inédits en français, trad. A. Lewin); souvent, ils s'adressent à un interlocuteur inconnu où l'on reconnaît son époux l'empereur; parfois, ils expriment une surprenante violence; parfois encore, une manière de remords.

ABANDONNÉE
(Gödöllö – 1886)

Dans ma grande solitude,
Je compose de petites chansons;
Mon cœur, empli d'amertume et de
    tristesse,
Pèse lourd sur mon esprit.
Naguère, j'étais si jeune et si riche
De joie de vivre et d'espoirs;
Je me croyais la plus forte,
Et le monde entier s'offrait encore à moi.
J'ai aimé, j'ai vécu,
J'ai parcouru l'univers,
Mais jamais je n'ai atteint ce que je
    désirais.
J'ai trompé comme je fus trompée.

LAISSE-MOI SEULE
(Ischl – 1886)

Laisse-moi seule, laisse-moi seule,
Pour moi, c'est ce qu'il y a de mieux
    désormais;
Il n'est plus possible de tout avoir,
Et je ne veux me contenter de restes.
Peut-être t'ai-je trop aimé,
Je n'aurais dû te le montrer;
Tu m'as rendue triste à en mourir,
Et pourtant, je n'ai pas de rancune.
Tu m'as toujours bien entourée et cajolée,
Tu avais un but en tête;
Lorsqu'il fut atteint, tu m'as laissée aller,
Je n'étais plus bonne à rien.
Je me mets sérieusement en route,
Reviendrai-je jamais?

Les douleurs amères que tu m'as
  infligées,
Mes chants les diront un jour.

NOUS NOUS PROMENIONS ENSEMBLE,
  MAIS NE NOUS COMPRENIONS PAS...
(1886)

Pourquoi veux-tu mettre une selle à un
  bœuf,
Pourquoi jeter des perles au cochon?
Je supporte en silence les platitudes
Qu'il énonce avec aplomb.
Critiquer, médire,
L'élan et la poésie de surcroît,
Oui, railler Heine lui-même,
Laisse faire le bœuf avec son «meuh».
Le coq a chanté avec dédain,
Perché sur son trône de fumier,
Car il vient de découvrir l'hirondelle
Alors qu'elle saluait le printemps.
«Que tu es sotte, si tu t'imagines
Qu'avec ton vol insignifiant,
Tu peux t'approcher du soleil,
alors que ton ascension te fourvoie.

Moi je suis un autre gaillard
Il faut bien le dire, Dieu merci,
Avec mes ergots, tel un chevalier,
J'y suis et j'y reste, sur ma puanteur.»

RÊVE DANS LA VALLÉE ENCHANTÉE
(1887)

J'ai rêvé cette nuit que tu étais mort;
Et mon cœur était douloureusement
  ému.
Est-ce que je n'aurais pas détruit
  naguère ta joie de vivre,
Voici ce que je me demandai avec
  reproche et agitation.
Je te voyais gisant livide et muet,
Et je fus emplie d'une peine indicible;
Désespérée, je cherchai sur les traits
L'amour qui à jamais s'était évanoui
  pour moi.
Alors je m'éveillai et demeurai
  longtemps pensive,
Ne sachant si c'était rêve ou réalité;
Dans mon cœur se débattait encore le
  serpent du remords

Et mon âme était emplie d'amertume.
Mais non ! Tu vis, tu pourrais aussi
   pardonner ;
Peut-être me reprendrais-tu contre ton
   cœur.
Mais ce qui me rend si misérable, c'est
   justement
Que mon cœur est pétrifié et mort pour
   un tel bonheur.

Sissi critique de la monarchie

*C'est dans sa poésie qu'on trouve les
attaques les plus directes contre la
monarchie absolue. On notera dans le*
Bal à la Cour *une allusion précise à la
présence anarchiste en Suisse, onze
ans avant l'attentat de Luccheni.
Parfois, Sissi se transforme en
conseiller politique, qu'elle
s'adresse à son époux ou
qu'elle le fasse abdiquer en rêve
(inédits en français, à
l'exception du dernier).*

HISTOIRE VRAIE
(janvier 1887, à propos
des Habsbourg)
[...]
Chers peuples de ce vaste
   Empire,
Secrètement je vous admire :
De votre sueur et de votre
   sang vous nourrissez
Sans protester cette
   engeance dévoyée.

BAL À LA COUR
(20 janvier 1887)
[...]
Maître, laisse-moi te
   narrer
Comment j'ai passé
   cette soirée

Portrait officiel
pour le
millénaire
de la Hongrie.

Les stupides racontars de la Cour
Se sont prolongés tard dans la nuit.
Dans mon habit de brocard d'or,
Richement doublé de zibeline,
Une couronne comme parure
Et mes cheveux coiffés à l'antique,
J'avançai à pas cérémonieusement
    comptés,
A mes côtés mon époux,
Comme il convient à des êtres aussi
    exceptionnels,
A travers le salon brillamment illuminé.
Le maître de cérémonies
Plastronne devant nous avec son bâton,
Et en frappe des coups forts et sonores :
Attention, la fête commence!
Avec grâce nous fîmes se courber
Devant nous une mer humaine,
Aux sons des violons de Strauss
Que l'orchestre déversait de là-haut.
Au centre de la salle des chevaliers
Se tenait le Corps diplomatique;
C'est l'usage au bal de la Cour,
Et l'on fait assaut d'habiles banalités.
Avec force diplomatie et beaucoup
    d'étiquette,
Et dans toutes les langues connues,
Souvent très naïve et même infantile,
Se déroule la conversation.
[*suivent une quinzaine de strophes
relatant les propos des divers
ambassadeurs ou les réflexions
qu'inspirent à Sissi les pays qu'ils
représentent. Vient le tour de
l'ambassadeur de Suisse.*]
«Suisses, vos montagnes sont superbes!
Vos horloges fonctionnent bien;
Mais pour nous, qu'elle est dangereuse
Votre sale engeance de meurtriers de
    rois.»
[...]
Lentement je me dirige
Vers un divan de velours rouge
Au milieu d'effluves floraux,
Sous des palmiers, sous des lilas.
Mais mon corps seul s'y repose,

Car mon esprit déjà éprouvé
Est soumis à plus rude encore
Et gavé de racontars viennois.
S'approchent les plus grands noms
De notre aristocratie,
Les dames du palais décorées de la Croix
    Etoilée[1];
(Elles sont grasses et souvent bêtes).
[...]
Mais le maître des cérémonies
Annonce maintenant : la fête est finie.
Vous tous, les ducs et les barons,
Les princes et les comtes, rentrez chez
    vous!
[...]
De ma tête lourde en soupirant
J'enlève la couronne;
Que de bonnes heures m'a volées
Ce bâton de cérémonies.
Ces parures chatoyantes,
Je les contemple longuement;
Pour d'autres, ce seraient de grandes
    joies,
Pour moi, ce n'est qu'un joug pesant.
[...]

1. Décoration impériale attribuée aux dames
de compagnie de la Cour.

LA FÊTE DU 13 MAI 1888
[...]
Mon Dieu! Que va-t-il advenir
De cette foule de rejetons des
    Habsbourg?
De cet ornement hors de prix,
Qui encombre chaque pays
Et qui se nomme monarchie
Et qu'importe si le peuple jeûne!

[*Sissi a écrit en note à côté de l'expression
«cet ornement hors de prix»* : «*Mea culpa,
mea culpa, mea maxima culpa,* l'auteur
de ces lignes en fait malheureusement
partie elle aussi.»]

Traduit
par André Lewin

Dans ce poème, Sissi tente en vain de convaincre l'empereur de faire de nouveau appel, comme quelques années auparavant, au comte Andrassy, en lieu et place du comte Kalnoky, qui dirige alors la politique hongroise.

A MON ÉPOUX
(Budapest – février 1888)

Dis-moi, mon cher époux,
Quel est ton but?
Il me semble, à la consternation
   générale,
Que ton attelage s'est complètement
   embourbé.
Le petit âne que tu as attelé,
Il ne peut plus tirer;
Trop profondément il s'est enfoncé dans
   la boue;
Ah, ne vaudrait-il pas mieux

Que tu attrapes ce noble et fringuant
   étalon
Là-bas, dans la libre pâture,
Et que tu lui imposes le mors aux dents,
Pas demain, mais dès aujourd'hui.
Une fois déjà, il a tiré de la boueuse
   ornière
Ton char engagé sur une mauvaise piste,
Alors chasse ton gros ânon
Avant qu'on te prenne pour un fou.

MON RÊVE

Je fus empereur cette nuit,
Rien qu'en rêve assurément.
De plus, empereur si sage
Que de tels il n'en est guère.
Approchant de la cinquantaine,
Me voilà donc sur le trône.
Et je médite qu'à dire vrai
Cela n'apporte rien à personne.

Manifestation à Budapest en 1889.

Mais où gît alors le lièvre?
Dieu sait que je fus sans paresse.
Quand il fallait équiper l'armée,
Je n'ai jamais mâché mes mots.
[...]
L'aube à ma table de travail
N'a jamais manqué de me trouver;
Et, pour me montrer consciencieux,
Je veille à chaque paperasse.
Ce fut, dès ma prime jeunesse,
Mon lot que de savoir renoncer.
Observant de près la vertu,
Je n'ai vécu qu'en famille.
Combien d'heures interminables
Souvent, au Conseil des ministres,
Mon esprit s'est-il épuisé
De discours sots et plats.
Allaient et venaient les ministres
Que j'ai chacun mis à l'essai;
Et si j'ai oublié leurs noms,
Je sais qu'ils médisaient de moi.
Un seul pouvait remettre à flot
Le pauvre vaisseau de l'Etat[2];
Mais je n'ai pas su le retenir
Et nous sommes à nouveau misérables.
Après y avoir longtemps songé,
Je prends maintenant la décision
De faire qu'avec l'aide de Dieu
Il se passe ici quelque chose.
[...]
J'ai donc par le vaste monde
Alerté toutes les Républiques
J'ai vu ceux de l'Esprit saint.
Ce que je vous dis démontre
Que vous devriez bien me rejoindre.
C'est à toi que je m'adresse, fils,
Mon successeur sur le trône,
Qui depuis toujours aspiras
Aux mêmes choses que je voulais.
Toi qui te dévoues loyalement
Depuis des décennies, sans repos
Ni faiblesse, mais à qui la chance
A manqué déjà dès ta jeunesse!
Ordonne donc à tes armées
Qu'elles déposent les armes,

2. Elisabeth veut parler d'Andrassy.

François-Joseph 1er en 1867.

Honore aujourd'hui ton peuple
Et cela te portera bonheur.
Vois comme vient un joyeux orage,
Comme se défont les tribunes
Qu'il déchire et met à bas
Pour vous rappeler vos péchés.
[...]
Race des Habsbourg, avancez!
Sortez de l'ombre de vos tentes,
Servez aujourd'hui en chœur
Le peuple de droit divin.
Quand celui-ci aura bu à sa guise,
Qu'il rende alors à Dieu hommage,
Qu'à pleine gorge il entonne
Le cantique des chœurs célestes.

Magnificat anima mea Dominum.
Vous m'avez fait venir aujourd'hui,
Cependant qu'y a-t-il à voir?
Toute cette lourdeur a-t-elle changé
Depuis ces cent et huit années?
Je vous vois aussi hautains et bornés
Qu'en ces temps si reculés
Où, poudrée et en grande coiffure,
Je me montrais en crinoline.
Or, dans la république du Ciel,
Depuis ces cent et huit années,
J'ai eu la chance de séjourner
Et j'ai là-bas beaucoup appris.
Au lieu des chevaliers de la noblesse,
Et mandé au soin de mes affaires
Tout ce qu'on trouve de bons cerveaux.
Ils devront tenir conférence
De l'aube jusques à la nuit
Et me rendre compte à la fin
De ce qui rend heureux les peuples.
Dussent-ils alors décider
Qu'ils nous faut une République,
Avec joie je consentirai
Qu'il en soit selon leurs vœux.
Et je dirais : «Mes chers enfants,
Je vais maintenant me retirer,
Ne soyez plus un troupeau de bœufs,
Mettez à profit votre chance.»
De ce rêve, à mon réveil,

Je n'ai soufflé mot à personne,
Sans quoi l'on m'eût doucement
Internée à Bründlfeld.

cité dans Brigitte Hamann,
Elisabeth d'Autriche,
Fayard, Paris, 1985

Cauchemars et espérances

Sans doute inspiré par la mort de
Louis II, un poème de mauvais rêve
et son contrepoint, l'adresse des poèmes
aux combattants de la liberté,
destinataires des livres de poésie.

Voilà que mon corps gît là-bas,
Sous la mer profonde,
Ce corps que déchiraient, écorché,
Ces récifs bigarrés.
Les araignées de mer ont tissé
Leur lit dans mes nattes;
Une armée de visqueux polypes
Envahit mes jambes.
Et sur mon cœur rampe une bête
   immonde,
Mi-ver mi-anguille;
Je sens que flaire mes talons
Une langouste royale.
Mon cou, mes bras, sont enlacés
Par des méduses
Et des poissons, petits et grands,
S'approchent en essaim.

Des sangsues longues et grises
Me sucent les doigts,
Un cabillaud au regard glauque
Fixe mes yeux vitreux.
Et tandis qu'entre mes dents
Se glisse une moule,
Ma dernière larme, comme une perle
Te parviendra-t-elle jamais?

in Brigitte Hamann,
op. cit.

AUX ÂMES DU FUTUR

Je chemine solitaire sur cette terre,
Depuis longtemps détachée du plaisir, de
la vie;
Nul compagnon ne partage le secret de
mon cœur,
Jamais aucune âme n'a su me
comprendre.
[...]
Je fuis le monde et toutes ses joies,
Je suis bien loin aujourd'hui des
humains;
Leur bonheur et leur peine me restent
étrangers;
Je chemine solitaire, comme sur une
autre planète.
[...]

Et mon âme est pleine à éclater,
Les songes muets ne lui suffisent plus;
Ce qui l'émeut, elle doit le mettre en
chants
Et ce sont eux que je couche dans ce
livre.
Lui, il les gardera fidèlement et à jamais
Des âmes qui aujourd'hui ne les
comprennent pas,
Jusqu'à ce qu'un jour, après de longues
années agitées,
Ces chants renaissent et refleurissent.
Oh, puissent-ils alors, comme voulait le
maître[3],
Vous consoler, vous qui pleurez et
gémissez
Pour ceux qui tombèrent au combat de
la liberté,
Pour ceux dont la tête porte la couronne
du martyre!
Ô vous, chères âmes de ces temps
lointains,
Auxquelles s'adresse aujourd'hui mon
âme,
Bien souvent elle vous accompagnera,
Et vous la ferez vivre grâce à mes
poèmes.

3. «Le maître» n'est autre que Heine. [N.d.A.]

in Brigitte Hamann,
op. cit.

La maison impériale vue de l'ambassade de France à Vienne

Extraits d'archives inédites de l'ambassade de France à Vienne : correspondances, dépêches ou télégrammes sont adressés au ministère des Affaires étrangères à Paris par les ambassadeurs Gustave de Beaumont, le baron de Bourqueney, le duc de Gramont, Pierre Decrais et le marquis Jacques de Reverseaux. L'impératrice y apparaît lorsqu'elle peut jouer un rôle, fût-il minime, dans la politique française.

Répression en Hongrie

Vienne, le 8 octobre 1849,
Monsieur le Ministre,
A la suite de la procédure suivie contre les divers individus, accusés de participation à l'insurrection du 6 octobre dernier, d'autres crimes, auxquels même se rattachait l'assassinat du général Latour, onze ou douze personnes viennent d'être condamnées à mort par des conseils de guerre : entre autres, le comte Louis Bathyani, ex-président de la Diète hongroise, Goltenberg, Leiningen, Kiof, Aulich, Deszöffi. Leur exécution a eu lieu avant-hier 6 octobre, jour anniversaire de l'assassinat du général Latour; Bathyani a été exécuté à Pesth, et les autres à Arad. Presque tous, et notamment Bathyani, ont été pendus; trois seulement ont été fusillés. Ceux qui ont

La famille impériale en trois générations officielles.

eu ce dernier sort, sont : Leiningen, Kiss et Deszöffi. La nouvelle de ces exécutions, qui ne fait que de se répandre, produit une vive sensation. Le coup qui est porté frappe les têtes les plus hautes. Louis Bathyani tenait ici par sa naissance et son mariage à ce qu'il y a de plus élevé dans l'Aristocratie du pays. Il avait épousé la comtesse Zichy, et se trouvait ainsi allié à la princesse de Metternich; Leiningen est de la famille des princes de Linange; Kiss était général hongrois et Aulich général autrichien. On dit que cet acte de rigueur était désiré généralement dans les rangs de l'armée – diversement accueilli par l'opinion publique, il trouvera peut-être quelque faveur dans une certaine portion du parti démocratique, qui, dans le supplice le plus infamant infligé aux plus nobles têtes, verra une utile consécration du principe de l'égalité.

La future impératrice compte de nombreux parents en France

Entre les lignes de la première dépêche, une discrète dépréciation de la modeste origine de la fiancée.

Vienne, le 21 août 1853

Monsieur le Ministre,
J'ai à peine le temps de confirmer par la poste ordinaire la nouvelle que je viens de télégraphier à Votre Excellence, des fiançailles de l'empereur François-Joseph avec la princesse Elisabeth-Amélie-Eugénie de Bavière. [...]

La branche ducale de Deux-Ponts Birkenfeld n'a droit au titre d'altesse royale que depuis 1845. Le père de la future impératrice, major général est duc *en* Bavière. La future impératrice est cousine germaine du prince de Wagram. Elle comptera de nombreux parents en France.

La rencontre d'Ischl : «Tout, excepté les préliminaires d'une alliance»

Le récit conventionnel des fiançailles s'achève par une comparaison de courtisan entre le mariage de l'empereur d'Autriche et celui de l'empereur des Français, Napoléon III, qui épouse Eugénie de Montijo par amour; l'ambassadeur l'avait – naturellement – pressenti…

Vienne, le 31 août 1853

Monsieur le Ministre,
Lorsque l'empereur François-Joseph quitta brusquement Schönbrunn le 16 août, pour échapper aux solennités de l'anniversaire de sa naissance, on crut qu'il allait à Ischl donner les dernières semaines d'août à une réunion de famille [...].

L'arrivée à Ischl de la duchesse de Bavière et des deux princesses, ses filles, avait eu lieu quelques jours avant celle de la famille impériale. Cousines de l'Empereur par leur mère, elles avaient accepté plutôt que cherché l'occasion qui ne s'était encore offerte pour elles qu'une seule fois de rendre devoirs au chef de la maison impériale. C'était une visite, une course de plaisir, tout excepté les préliminaires d'une alliance.

Le soir de l'arrivée de l'Empereur, l'archiduchesse Sophie réunit quelques personnes de la société d'Ischl, pour offrir à son fils la distraction d'un bal improvisé. Les princesses de Bavière étaient naturellement invitées. L'Empereur montra de l'empressement pour aller dans le cours de la soirée, et invita la plus jeune pour la contredanse qui termine tous les bals viennois et dans laquelle il est d'usage que le cavalier offre un bouquet à une autre danseuse que la sienne. L'Empereur porta le sien à sa cousine. Cette dérogation à l'usage frappa tous les assistants.

On s'était à peine retiré que l'Empereur déclara à sa mère que la princesse Elisabeth avait fixé son choix, qu'il l'épouserait ou qu'il ne se marierait pas. Il ajouta qu'il voulait que la jeune princesse fût consultée mais non influencée ; il attendrait vingt-quatre heures sa réponse.

L'archiduchesse Sophie qui avait toujours favorisé le mariage avec la princesse de Saxe, fille de sa sœur d'affection, n'essaya cependant pas de combattre une volonté aussi nettement exprimée et elle promit à son fils d'exécuter littéralement ses ordres.

«Moi, qui suis si peu de chose! Ce n'est pas possible», répondit la princesse Elisabeth aux premières ouvertures de sa tante. Il fallut la convaincre que la proposition était sérieuse. Alors le consentement fut donné avec autant de joie que de modestie.

Le lendemain 19, l'Empereur accompagné de sa mère, de ses frères, de sa tante et de ses cousines se rendait de très bonne heure à l'église pour assister au service divin. En passant le seuil de la porte d'entrée on fut étonné de voir l'archiduchesse mère donner le pas à la plus jeune de ses nièces. Les frères de l'Empereur venaient de reconnaître une future Impératrice ; à l'étonnement succéda l'émotion et la messe se dit au milieu des larmes de la famille impériale.

«Bénissez-nous, Monsieur le Curé, voilà ma fiancée», dit l'Empereur au moment où le prêtre descendait de l'autel et l'auguste couple s'inclina pour recevoir la bénédiction. [...]

Nous l'avons apprise [la nouvelle] en même temps que les Ministres autrichiens. [...]

Nous n'avons pour ce qui nous concerne aucune objection à élever contre le choix de l'Empereur. La branche ducale de la famille de Bavière compte en France des alliances que va rehausser encore une nouvelle et auguste parenté. Enfin, je ne serais pas un narrateur fidèle, si je terminais le récit des circonstances qui ont accompagné ce curieux épisode sans constater qu'on y a trouvé avec une autre union une analogie sur laquelle le respect m'interdit d'insister.

Lorsqu'à mon arrivée à Vienne, l'empereur François-Joseph, sa mère, ses frères me questionnaient avidement sur le mariage si récent de Sa Majesté l'empereur Napoléon, leurs réflexions empreintes de l'approbation la plus animée, me convainquirent que la politique et l'étiquette des cours auraient bien peu de part au choix de la compagne que le jeune souverain de l'Autriche associerait un jour à sa destinée ; je ne me trompais pas et je n'étais pas trompé.

Festivités matrimoniales et clémence impériale

Vienne, le 30 avril 1854

Monsieur le Ministre,

Le mariage de l'Empereur d'Autriche avec S.A.R. Madame la Duchesse Elisabeth de Bavière a été célébré à Vienne le 24 de ce mois, à six heures du soir, dans l'église des Augustins, en présence des divers membres de la famille impériale, de la Cour, des conseillers privés et des principales illustrations civiles ou militaires de ce pays. Le duc de Cambridge, le duc de Cobourg et le prince Wasa qui, en leur qualité de princes étrangers, ne pouvaient, d'après l'étiquette établie ici, se joindre directement dans une semblable solennité aux princes de la famille impériale, y assistaient de même que le corps diplomatique tout entier dans les tribunes réservées.

L'entrée solennelle de la princesse Elisabeth dans la capitale de l'Autriche avait eu lieu la veille, avec une pompe toute extraordinaire, du moins pour ce pays. Les habitants de Vienne se pressaient en foule autour du cortège et saluaient de leurs acclamations unanimes la future impératrice, acclamations d'autant plus chaleureuses et sincères, je le crois, qu'indépendamment de leurs sentiments incontestablement monarchiques, ils trouvaient ainsi une occasion bien justifiée de manifester leur admiration proverbiale pour la jeunesse et la beauté.

Conquête de la Hongrie rebelle

La première dépêche mentionne l'accident dramatique qui coûta la vie à la malheureuse Mathilde, brûlée vive dans

sa robe à cause d'une cigarette mal éteinte. La seconde fait écho à la liesse dans la capitale de la Hongrie.
La troisième explique l'arrière-plan politique du couronnement.

Les membres de la Diète hongroise se sont aujourd'hui rendus solennellement au palais du duché pour y présenter à l'Empereur le diplôme inaugural qui lui confère la souveraineté en Hongrie. Sa majesté a répondu par un discours qui a vivement impressionné l'assistance et où l'on remarque cette pensée : «J'ai eu confiance dans la loyauté du peuple hongrois, et je n'ai point à m'en repentir. Quand un peuple et un souverain n'ont qu'un même cœur, toutes les difficultés s'aplanissent.»

L'Impératrice assistait à cette cérémonie; son visage portait la trace d'une vive émotion causée par la solennité du moment et par la douleur qu'elle venait de ressentir en apprenant

La couronne Saint-Etienne, ornement du pont de Budapest.

la mort de sa cousine l'archiduchesse Mathilde.

Pesth, le 9 juin 1867
Monsieur le Marquis,
Le couronnement de l'empereur François-Joseph et de l'impératrice Elisabeth comme roi et reine de Hongrie a eu lieu hier 8 juin au milieu d'un concours immense des populations de toutes les parties du Royaume et d'un grand nombre d'étrangers. La chaleur qui était fort intense les jours précédents était un peu tempérée par l'approche d'un orage qui a éclaté cette nuit, de sorte que tout semblait se réunir pour faire réussir cette solennité la plus curieuse à laquelle il puisse être donné d'assister à notre époque.

V. E. trouvera dans les journaux le récit détaillé des cérémonies que les correspondants envoyés par la presse parisienne n'auront pas manqué d'expédier déjà à l'heure qu'il est à leurs directions. Qu'il me suffise de dire que l'accueil fait au roi lorsque, portant la couronne et le manteau de saint Etienne, il s'est avancé, entouré de son éclatant état-major au milieu d'une foule immense garnissant les tribunes, les fenêtres et même les toits des maisons, a été de ceux qu'il est difficile de décrire, et que l'attitude des sujets hongrois de l'empereur François-Joseph formait un contraste des plus saisissants avec le calme et la réserve des habitants de la métropole autrichienne.

Vienne, le 16 juin 1867
Monsieur le Marquis,
L'amnistie octroyée à tous les condamnés politiques de la Hongrie, et le don fait aux familles des «Houveds» qui ont péri en 1848 lors de

Fête du couronnement hongrois de François-Joseph et Elisabeth.

l'insurrection magyare, des 100 000 ducats offerts à L. MM. par la Diète de Pesth, ont produit une très grande impression dans toutes les parties de l'Empire. Les familles hongroises expriment leur reconnaissance pour cet acte de générosité qui efface, disent-elles, ces tristes souvenirs de 1848. Le *Hon*, journal de l'opposition, en développant toutes les conséquences de l'amnistie, ajoute que la nation hongroise n'est pas habituée à témoigner sa reconnaissance seulement par des paroles et le *Pesther Lloyd* termine ainsi un article à ce sujet :

«Après cet acte magnanime, il sera difficile de contester que le roi et la reine n'aient compris les grands et durables principes de 1848. Leurs Majestés ont prouvé qu'Elles étaient au-dessus des rancunes mesquines et qu'Elles appréciaient à sa juste valeur l'importance du développement historique de la Hongrie. L'acte souverain du 9 juin est sans exemple dans les annales de l'histoire européenne.»

Les drames de Mayerling

Intéressantes dans leur succession, ces dépêches témoignent des nombreux mystères qui entourèrent la mort du prince héritier.

Première version : une attaque d'apoplexie

(Télégramme chiffré)
L'ambassadeur de France au ministre des Affaires étrangères.
Vienne, 30 janvier 1889
L'archiduc Rodolphe, prince impérial, est mort ce matin dans son château de Mayerling, près de Bade. D'après ce que vient de me dire le comte Kelnoky. Son Altesse, déjà un peu souffrante, était partie avant-hier lundi pour cette résidence de chasse en compagnie du duc Philippe de Saxe-Cobourg et de quelques amis. Après avoir chassé toute la journée d'hier, il s'est mis au lit avec un peu de fièvre et n'a pu rentrer à Vienne, comme il en avait l'intention, pour assister chez l'Empereur à un dîner de famille. Ce

Ci-dessus, l'archiduc Rodolphe et son épouse; à droite, ses funérailles vues par *Le Monde illustré*.

matin, comme il tardait à paraître, ses compagnons de chasse sont entrés dans sa chambre et l'ont trouvé mort dans son lit. Le ministre des Affaires étrangères, qui n'avait pas, m'a-t-il dit, d'autres détails que ceux-là, pense qu'il a succombé à une attaque d'apoplexie ou à la rupture d'un anévrisme. Cette nouvelle, qui vient de se répandre en ville, y cause une consternation générale.

Signé : Decrais

Rumeurs contradictoires

Deuxième version : coup au cœur, coup de feu, jalousie d'un forestier? Croyance populaire indéracinable, en tout cas. On notera l'allusion aux positions francophiles de Rodolphe.

Vienne, 31 janvier 1889

Monsieur le Ministre,

Qui m'eût dit, en causant dimanche soir avec l'archiduc Rodolphe dans les salons de l'ambassade d'Allemagne, que je ne devais plus le revoir? Le comte Kalnoky et les personnages officiels, pour expliquer sa mort foudroyante, prétendent qu'il était malade depuis quelque temps, qu'il souffrait de maux de tête violents. Il n'avait pas l'air, il y a trois jours, ni quand j'ai eu l'honneur de dîner à sa table, il y a une semaine, d'un homme qui ne se porte pas bien. Je faisais la remarque, au contraire, que jamais il n'avait eu plus fière mine, qu'il n'avait jamais montré une plus belle humeur. Aussi l'imagination populaire se refuse-t-elle à croire qu'un prince de cet âge et de cette activité ait succombé à une attaque d'apoplexie ou à un anévrisme. Les journaux ministériels ont contribué à confirmer le public dans son incrédulité en publiant des récits différents de la mort de l'archiduc. D'après le *Fremdenblatt*, c'est un «coup au cœur» qui l'a emporté; d'après *La Correspondance politique*, il aurait été frappé mortellement d'apoplexie cérébrale. Il n'y a pas, je crois, à l'heure qu'il est, un Viennois qui accepte l'une ou l'autre de ces versions officielles. La *Nouvelle Presse libre* a raconté qu'on avait trouvé le prince mort dans son lit avec une blessure provenant d'un coup de feu et, pour avoir donné ce renseignement contraire aux affirmations officielles, la *Nouvelle Presse libre* a été confisquée.

Et pourtant c'est d'un coup de feu qu'on entend dire de tous les côtés que l'archiduc a été atteint. Les récits ne varient et ne se contredisent que sur le point de savoir quelle est la main, imprudente ou criminelle, qui l'a tiré. L'hypothèse d'un accident ou d'un suicide a été promptement écartée. Reste celle d'un attentat. C'est le bruit le plus répandu, le plus consistant, que le

prince aurait été assassiné par un de ses gardes forestiers qui aurait vengé par ce meurtre prémédité son honneur conjugal et se serait tué ensuite. Voilà ce que toutes les bouches répètent avec des détails qui, bien entendu, diffèrent à l'infini. Mais le fond de la croyance populaire est le même et il est douteux que les communiqués et les sévérités du gouvernement parviennent à la modifier. Au ministère des Affaires étrangères, on dément de la façon la plus catégorique toutes les nouvelles qui ne sont pas conformes à la version du gouvernement et, dans la rue, on arrête ceux qui les colportent, ce qui n'est pas précisément le moyen d'en démontrer la fausseté.

Je ne sais pas si la lumière se fera jamais sur cette mort qui reste mystérieuse. [...] J'ajoute que nous venons de perdre un des rares personnages princiers qui n'ait jamais voulu de mal à la France, et que la généreuse vivacité de ses sentiments antiprussiens pouvait nous permettre, sans présomption, de fonder sur lui quelque espérance.

Signé : Decrais

«L'empire d'une excitation cérébrale»

Troisième version : la vérité et la légende (deux dépêches). Même lorsque la vérité du suicide éclate, le peuple continue à croire à un assassinat.

Télégramme chiffré n° 8
au ministre des Affaires étrangères.
Vienne, 1er février 1889

Le mystère qui enveloppe la mort du prince impérial commence à s'éclaircir. La *Gazette officielle* de ce jour constate que Son Altesse impériale s'est suicidée en se tirant un coup de revolver à la tête. La mort a été instantanée. Mille versions circulent sur les causes d'ordre intime qui ont amené l'archiduc à se brûler la cervelle.

Signé : Decrais

Vienne, le 2 février 1889

Monsieur le Ministre,

Après avoir confisqué le *Nouvelle Presse libre* pour avoir dit que le prince impérial était mort d'un coup de feu et fait arrêter dans la rue les passants qui répandaient cette nouvelle, le gouvernement s'est décidé à avouer une partie de la vérité à moins, toutefois, qu'il n'ait cherché à l'obscurcir davantage encore. La *Gazette officielle* d'hier a reconnu qu'on avait induit le public en erreur sur la foi de renseignements incomplets et que le *Kronprinz* avait mis fin à ses jours mercredi matin, entre sept et huit heures, en se tirant un coup de revolver à la tempe. Cette seconde version est appuyée par le procès-verbal des médecins de la Cour qui ont constaté le décès. Je joins ce document à la présente dépêche. Il en résulte que l'archiduc aurait succombé «à une fracture du crâne» déterminée par un coup de feu, et que, sans aucun doute, c'est lui-même qui, dans un accès d'aliénation mentale, se serait brûlé la cervelle; et afin que la folie n'ait pas l'air d'avoir été imaginée pour expliquer un acte de désespoir incompréhensible et en atténuer le scandale, le rapport déclare que l'examen de ce qui reste du crâne a révélé de graves lésions au cerveau. C'est donc sous l'empire d'une excitation cérébrale, à laquelle le prince était en proie depuis plusieurs jours, qu'il aurait résolu d'en finir avec la vie et accompli de sang-froid son funeste dessein. Ce qui le prouve encore, dit-on, c'est qu'avant de partir pour Mayerling, lundi dernier, à onze heures du matin, il avait écrit et laissé dans son bureau un certain nombre de lettres, dont l'une était adressée à l'Impératrice, et dans lesquelles il annonçait «qu'il allait mourir et qu'il devait mourir», sans dire pourquoi il courait ainsi au devant de la mort.

Les journaux officieux publient, en outre, une foule de menus détails qui tous tendent à démontrer que l'archiduc Rodolphe s'est réellement suicidé. Ils mettent à bien établir ce fait autant d'ardeur qu'ils en apportaient la veille à l'écarter comme faux et injurieux.

Aussi n'est-il pas surprenant que le public ne croie pas plus à la seconde version qu'à la première, en dépit du rapport des médecins et des preuves morales et matérielles soigneusement assemblées. Si l'hypothèse du suicide peut se soutenir, il n'est pas difficile non plus d'en montrer l'invraisemblance, et le souci qu'on prend un peu tard de la faire accepter par l'opinion publique produit un effet contraire si bien que personne ne semble vouloir l'admettre. Et en supposant que la *Gazette officielle* ait dit la vérité le 1er février dernier, se pose aussitôt l'inévitable question : pourquoi l'archiduc s'est-il suicidé? Je ne sais pas ce qu'on n'a pas inventé pour y répondre. Chaque jour voit éclore une histoire nouvelle. Je ne répéterai pas tous les on-dit qui circulent. Je me bornerai à noter que le peuple, lui, suit toujours son idée, à savoir que le *Kronprinz* a été assassiné par un de ses gardes forestiers qui, l'ayant surpris avec sa femme, lui a tiré un coup de fusil et que c'est pour dissimuler l'odieuse et scandaleuse réalité qu'on lui a substitué le double mensonge d'une attaque d'apoplexie d'abord, et puis d'un suicide provoqué par un dérangement du cerveau. Quoi qu'il en soit, qu'il y ait eu suicide ou attentat, un sombre mystère continue de planer sur le drame qui s'est accompli au pavillon de chasse de Mayerling, dans la nuit du 29 au 30 janvier. Le cabinet se propose, dit-on, de fournir dans quelques jours de nouvelles explications destinées à l'éclaircir.

Signé : Decrais

1898 : veillée funèbre

L'année même de la mort de Sissi, une rumeur tenace fait d'elle une grande cardiaque.

L'Impératrice d'Autriche, assassinée le 10 septembre 1898.

Vienne, le 8 juillet 1898
Monsieur le Ministre,
Les journaux ont parlé dans des termes assez réservés de la maladie de l'Impératrice. J'ai pu me procurer auprès d'un de ses médecins certains renseignements qui indiqueraient que l'affection cardiaque dont souffre depuis longtemps Sa Majesté s'est sensiblement aggravée dans ces derniers mois et ne serait pas sans causer de réelles appréhensions pour sa vie, bien que le danger ne soit pas imminent.
L'Empereur en aurait été avisé, mais l'ordre aurait été donné de dissimuler autant que possible le diagnostic des médecins, afin de ne pas effrayer l'opinion publique et la laisser se livrer en toute liberté aux préparatifs des fêtes du Jubilé.

Signé : Reverseaux

Un complot anarchiste en Hongrie

Vienne, le 9 juillet 1898
Monsieur le Ministre,
Les journaux austro-hongrois parlent d'un complot contre la vie de l'Empereur qui aurait été découvert à Pesth. D'après mes renseignements particuliers, ce serait des paysans hongrois qui, surexcités par des menées anarchistes, auraient résolu d'établir une mine de dynamite sur le passage de Sa Majesté; dénoncés par une femme, ils ont été arrêtés et leur interrogatoire a démontré qu'ils n'avaient pas conscience de l'acte.

«L'épouvantable nouvelle»

Les deux premières dépêches annonçant l'assassinat d'Elisabeth.

Vienne, le 10 septembre 1898
Un télégramme arrivé ce soir à 6 h à Vienne annonce l'épouvantable nouvelle de l'assassinat de l'Impératrice par un anarchiste à Genève.

Signé : Reverseaux

Vienne, le 11 septembre 1898
L'Empereur, en apprenant par un télégramme de la dame d'honneur de l'Impératrice l'assassinat dont cette dernière a été victime a eu une profonde émotion; en se prenant la tête dans les mains, il s'est écrié : «Aucune épreuve ne m'est épargnée en ce monde.» Puis, au bout d'une demi-heure, il a repris son sang-froid et a donné lui-même tous les ordres que comportait cet événement.
Il a prescrit de continuer les manœuvres où il ne se rendra pas.

«On a vite oublié la défunte»

*Passée l'émotion, la politique reprend le
dessus : l'Empire continue malgré les
rumeurs d'abdication, on mate tant bien
que mal des émeutes anti-italiennes, enfin,
grande nouvelle, l'Empereur a retrouvé le
sommeil.*

Vienne, le 16 septembre 1898
Monsieur le Ministre,
La nouvelle de l'assassinat de
l'Impératrice Elisabeth a causé dans
toutes les parties de la monarchie une
stupeur profonde et une douloureuse
émotion. On a vite oublié la défunte, qui
était peu connue et peu aimée à cause de
ses excentricités et de son dédain des
convenances, pour ne songer qu'au
malheureux Empereur terrassé par ce
nouveau coup et qui aura vidé la coupe
de toutes les amertumes. L'amour de ses
peuples qui a grandi avec ses malheurs
vient de se manifester par une explosion
unanime de sympathies et de
témoignages de dévouement qu'on ne
saurait rencontrer dans un autre pays.
Aucune note discordante ne s'est élevée.
C'est une famille dont chaque membre
se groupe autour de son chef pour
pleurer avec lui et amortir, dans la
mesure du possible, le coup qui le frappe
en en réclamant sa part. C'est un
spectacle d'autant plus touchant qu'il
n'est guère de mise à notre époque.

Ainsi que j'ai eu l'honneur de vous le
télégraphier, après avoir été atterré,
François-Joseph a relevé bravement la
tête et n'a négligé aucun de ses devoirs
de souverain, mettant les intérêts de son
pays au-dessus de ses douleurs
personnelles. Les deux filles, les
archiduchesses Gisèle et Valérie sont
installées près de lui à Schönbrunn, qu'il
ne quittera que pour aller recevoir la
dépouille mortelle de l'Impératrice.

Aussitôt après les cérémonies funèbres,
il se rendra à Ischl où il restera dans la
plus grande solitude pendant un mois et
demi.

Vienne, le 16 septembre 1898
Monsieur le Ministre,
L'assassinat de l'Impératrice a donné lieu
à des manifestations violentes contre les
Italiens dans nombre de villes de
l'Empire. A Trieste ces manifestations
ont eu un caractère sanglant et plusieurs
d'entre eux ont été plus ou moins
grièvement blessés. La police et les
autorités n'ont pas apporté dans la
répression toute l'énergie prescrite par
l'Empereur [...].

Vienne, le 20 septembre 1898
Monsieur le Ministre,
Au lendemain de l'assassinat de
l'Impératrice, quelques journaux ont
parlé de la prochaine abdication de

l'Empereur. Le rescrit qu'il vient d'adresser à ses peuples dément catégoriquement cette nouvelle. Sa Majesté déclare, en effet, que ce malheur a encore resserré les liens qui l'unissent à la nation et augmente sa ferme volonté de se consacrer [à son] bonheur [...] et ce n'est qu'au moment de la descente du corps de l'Impératrice dans les tombeaux de la chapelle qu'il a fondu en larmes. Il était entouré de ses filles, de ses gendres, de tous les membres de la famille impériale ainsi que de l'empereur d'Allemagne qui, en grand costume de général hongrois n'a pas perdu l'occasion de faire de la politique, des rois de Saxe, de Roumanie, de Serbie, du régent de Bavière, des héritiers d'Italie, de Grèce et du Montenegro, du prince de Bulgarie et de trente et un princes représentant les maisons souveraines.

Conformément à vos instructions, j'ai déposé sur le cercueil de l'Impératrice une très belle couronne sur laquelle j'ai fait inscrire : «Le Gouvernement de la République française à S. M. Impératrice et Reine Elisabeth.»

Vienne, le 30 septembre 1898
Monsieur le Ministre,
D'après les nouvelles très sûres que j'ai eues hier, la santé de l'Empereur qui avait causé certaines préoccupations à son entourage pendant les quelques jours qui ont suivi la mort de l'Impératrice, est aussi bonne que possible. Il a pu retrouver le sommeil et l'appétit qui l'avaient abandonné et reprendre quelque goût à la vie. Son chagrin reste profond et il ne cherche plus à le cacher; il est parti avant-hier pour Walku où il va passer quelques jours chez l'archiduchesse Valérie et se rendra peut-être ensuite à Ischl dont la solitude l'attire.

Signé : Reverseaux

Tableau de chasse de l'empereur François-Joseph.

A chacun son Elisabeth

Plus les années passent, plus nombreux sont les écrivains qu'elle inspire. Au-delà des biographies de référence – le comte Corti, Jean des Cars, et Brigitte Hamann – philosophes, psychanalystes et romanciers rêvent chacun «leur» impératrice.

Maurice Barrès : portrait d'Elisabeth en soufi persan

L'auteur du cycle du Culte du Moi *ne pouvait demeurer indifférent devant l'indifférente et narcissique impératrice; dans* Amori et Dolori Sacrum, *il projette son refus du peuple, «la vulgarité».*

L'audace et l'ironie amère, l'accent sceptique et fataliste, l'invincible dégoût de toutes choses, la présence perpétuelle de l'idéal et de la mort, et même ces enfantillages esthétiques d'une mélancolie qui cherche à se délivrer, me font tenir l'existence d'Elisabeth d'Autriche comme le poème nihiliste le plus puissant de parfum qu'on ait jamais respiré dans nos climats. On croirait que des fusées orientales vinrent, chez cette duchesse en Bavière, irriter le fond romantique. Toutes ses forces de rêve, elle les astreint à des cadences que je trouve seulement chez ces incomparables soufis persans qui couraient le monde dans la familiarité de la mort. Et cette satiété qui n'empêche aucun frémissement évoque devant mon imagination certains rêveurs mystérieux des trônes asiatiques.

Bien entendu, je ne prétends point donner par ces rapprochements une explication; mais – comme un air de musique parfois nous transporte dans un paysage – l'atmosphère de silence, de fatalité et de beauté un peu bizarre qui flotte autour de l'impératrice évoque pour moi ces cours des khalifes où la philosophie du néant, parfois avec mièvrerie, développe ses sentences au milieu de drames qui la justifient.

Pourquoi poursuivrais-je davantage de rendre intelligibles ces incomparables angoisses? Ces psaumes monotones, ceux que nous appelons les heureux de ce monde les ont répétés à maintes reprises depuis Salomon. Aussi bien, en dehors de l'atmosphère des cours, nous avons entendu des pensées analogues. Ces états de faiblesse irritable, ces angoisses sans cause, ces vagues inquiétudes, ces noires lycanthropies, c'est la sécrétion particulière aux natures supérieures. Avec une régularité qui mènerait jusqu'au désespoir les hommes assez imprudents pour s'attarder à réfléchir sur notre effroyable impuissance, nous mettons éternellement nos pas dans les pas de nos prédécesseurs. Tous les grands poètes ont souffert, comme Elisabeth d'Autriche, de la vulgarité du siècle; ils se sont sentis soulevés, au moins de désir, vers un plus haut idéal; ils ont éprouvé un éloignement pour les intelligences obtuses et courtes, contentes d'être, satisfaites du monde et de la destinée. C'est que, sans but et sans frein, ils souffraient d'un manque de discipline. D'un tel état peuvent sortir les grandes singularités artistiques ou religieuses qui sont l'honneur de l'humanité! Qu'importe le fond des doctrines! C'est l'élan qui fait la morale. Ce qu'un Pascal appelle «vivre pour l'éternité», c'est ce que nous appelons «s'observer, comprendre le néant de la vie». Mais cette satiété qui réclame à toutes les minutes les assaisonnements de la mort, n'impressionne jamais autant que chez une femme divinisée par sa beauté, par son diadème, par son malheur qu'elle affrontait dans une perpétuelle méditation, et par son assassinat qui ne put l'émouvoir, car elle avait devancé la mort.

Quand une brute menée par la Fatalité qui préside aux tragédies antiques accosta l'impératrice sur le trottoir du lac, près de l'hôtel Beau-Rivage, sans doute celle-ci participait toujours à ce que le vulgaire appelle la vie, puisqu'elle réagissait encore, mais, n'ayant plus de but, de volonté, ni rien qui lui fût, elle était, selon le philosophe, une étrangère à l'existence et vraiment une morte.

M. Rémy de Gourmont a écrit un mot qui mérite d'être recueilli : «L'homme qui assassina l'impératrice d'Autriche obéit peut-être à un instinct plus haut que son intelligence; croyant tuer la force, il poignarda le dédain.» Sans doute, mais encore, plutôt qu'une dédaigneuse, c'est une absente. *Jam transiit* : Déjà elle avait passé outre… L'imbécile Luccheni a tué une morte.

Le cœur percé de cette petite lame, elle continue encore à marcher. C'est seulement sur le pont du bateau qu'elle s'affaisse, et alors elle demande : «Qu'y a-t-il?» C'est elle qui meurt, et elle demande : «Quoi?»

Maurice Barrès,
Amori et Dolori Sacrum, 1921

E.M. Cioran : portrait de Sissi en Hamlet

Réalisé en 1983 et publié dans le catalogue de l'exposition Vienne 1880-1938, au Centre Pompidou en 1986, cet entretien avec le philosophe contemporain Cioran, maître en ironie et en désespérance, tire la personnalité d'Elisabeth vers l'incarnation du déclin de notre temps.

– *Cela fait longtemps que vous vous intéressez de près à Elisabeth d'Autriche. En fait, qu'est-ce qui a suscité ainsi votre intérêt pour un personnage qui a souvent été si mal compris?*
E.-M. C. : J'aimerais commencer par une citation : «L'idée de la mort purifie et fait l'office du jardinier qui arrache la mauvaise herbe dans son jardin. Mais ce jardinier veut toujours être seul et se

fâche si des curieux regardent par-dessus son mur. Ainsi je me cache la figure derrière mon ombrelle et mon éventail, pour que l'idée de la mort puisse jardiner paisiblement en moi.»

Ce sont ces quelques phrases, lues en 1935 quand j'avais vingt-quatre ans, qui ont été le point de départ de cet intérêt passionné que j'éprouve pour l'Impératrice Elisabeth. [...] Ce verbe «jardiner» n'est pas dans le texte original allemand, qui dit simplement «travailler». Mais cette inexactitude au fond très fidèle ajoutait au texte une nuance poétique qui allait me poursuivre jusqu'à l'obsession.

– *Dans sa préface, Maurice Barrès écrit que les propos de Sissi consignés par Christomanos sont «le plus étonnant poème nihiliste qu'on ait jamais vécu dans nos climats». Diriez-vous également qu'il s'agit de nihilisme, ou parleriez-vous plutôt de «desengaño»?*

E.-M. C. : Même si on peut citer d'elle des propos teintés de nihilisme, ce mot a dans son cas une connotation philosophique gênante. Elle était totalement *desengañada*, désabusée, coupée du monde. Elle ne s'est pas souciée des débats idéologiques de son époque, sa formation étant principalement littéraire. Sa «philosophie», elle la tenait de Shakespeare, plus précisément des bouffons de Shakespeare. Il n'est donc pas question de nihilisme mais d'ironie suprême, de lucidité désespérée.

Lorsqu'on songe à sa vision des choses, on ne peut s'empêcher de penser à Hamlet exaltant devant Rosencrantz et Guildenstern la splendeur de l'univers, du ciel et de la terre, de l'homme, être unique, sommet de la création, et ajoutant qu'à ses yeux tout cela n'est que «quintessence de poussière».

– *Marie-Valérie, la fille préférée de Sissi,* attribue l'amertume de sa mère au «sentiment de s'être trompée sur le compte de tant d'êtres qu'elle avait aimés». Elle présente sa mère comme une jeune femme qui aurait abordé la vie toute pleine d'espoir, mais que l'incompréhension et les déceptions auraient poussée à fuir le monde, voire à le mépriser. Est-ce que vous souscririez à cette opinion?*

E.-M. C. : Je ne veux pas minimiser ses déceptions et ses épreuves mais je ne pense pas qu'elles aient joué un rôle fondamental. Elle aurait été déçue dans n'importe quelles circonstances, elle était née déçue. Songez à ceux qui pratiquent l'ironie, qui y recourent à chaque moment. D'où vient-elle? La cause n'en est pas extérieure, elle est interne, elle est bien en eux. C'est du plus profond d'un être qu'émane le besoin de ruiner illusions et certitudes, facteurs du faux équilibre sur lequel repose l'existence. «La folie est plus vraie que la vie» a dit l'Impératrice, et elle aurait pu arriver à cette conclusion sans même le concours d'une seule déception.

Pourquoi aimait-elle tant les bouffons de Shakespeare? Pourquoi visitait-elle les asiles de fous partout où elle allait? Elle avait une passion marquée pour tout ce qui est extrême, pour tout ce qui s'écarte de la destinée commune, pour tout ce qui est en marge. Elle savait que la folie était en elle, et cette menace la flattait peut-être. Le sentiment de sa singularité la soutenait, la portait, et les tragédies qui se sont abattues sur sa famille n'ont fait que favoriser sa résolution de s'éloigner des êtres et de fuir ses devoirs, offrant ainsi au monde un rare exemple de désertion. [...]

– *Sissi considérait que l'amour était une chose qu'on ne devait pas prendre au sérieux, elle était capable d'être très froide, même envers ses propres enfants, à l'exception de Marie-Valérie; comment*

expliquez-vous alors qu'elle ait tellement pris au sérieux l'affaire Pacher, cette romance, qu'elle s'en soit préoccupée au point d'écrire à son propos de longs poèmes d'amour? Etaient-ce les fantasmes d'une femme frustrée?

E.-M. C. : Je crois pour ma part qu'elle était incapable d'éprouver une véritable passion. L'illusion qui y est indissolublement liée aurait été sans doute pour elle impossible. Elle est peut-être tombée amoureuse par jeu. Les années aidant, ses rapports avec les êtres devinrent de plus en plus étranges. Elle cherchait ses semblables ailleurs…, elle nommait l'Océan son «confesseur» et un arbre de Gödöllö son «confident», son «meilleur ami», un intime, disait-elle, «qui sait tout ce qui est en moi et tout se qui se passe pendant le temps où nous sommes séparés». Et elle ajoutait : «Il ne dira d'ailleurs rien à personne.» Par plus d'un côté elle rappelle le roi Lear.

Elle détestait les hommes, à l'exception du petit peuple, des pêcheurs, des paysans, des idiots de village. Elle n'était dans son élément que durant ses ruminations solitaires. Une figure me vient à l'esprit, celle d'une Finlandaise d'une quarantaine d'années, toujours vêtue de noir, avec laquelle, dans ma jeunesse, je m'entretenais souvent dans le parc de l'asile d'aliénés de Sibiu, en Transylvanie. Nous parlions allemand ensemble, car elle ne savait ni le roumain ni le français. Elle avait l'habitude de se promener toute seule dans une allée écartée. C'est là que je lui ai demandé une fois : «Que pouvez-vous bien faire ici toute la journée?» — Et elle : «*Ich hamletisiere*», «J'hamlétise». C'est une réponse qu'aurait pu donner Sissi […]

– La figure d'Elisabeth est aujourd'hui redevenue d'une grande actualité. Quelle peut en être la raison?

E.-M. C. : L'effacement de l'Autriche, on

l'a dit et redit, préfigure celui de l'Occident. On a même parlé d'une répétition générale… Ce qui va nous arriver, l'acte suivant dans la tragédie historique de l'Europe, cela s'est déjà déroulé à Vienne, symbole désormais d'effondrement. Sans ce grandiose arrière-plan, Sissi n'aurait été qu'un sujet inespéré pour biographes, ou qu'une déesse pour des ravagés. La Russie tsariste n'eut pas la chance d'avoir à sa fin une figure analogue, car la dernière tsarine ne fut qu'une psychopathe lamentable et grotesque.

Dans l'histoire, seules les périodes de déclin sont captivantes, car c'est en elles que se posent véritablement les questions de l'existence en général et de l'histoire en tant que telle. Tout se hausse jusqu'au tragique, tout événement prend du coup une dimension nouvelle. Les obsessions, les lubies, les bizarreries d'une Sissi ne pouvaient prendre un surcroît de sens qu'à une époque qui allait culminer dans une catastrophe modèle. C'est pourquoi la figure de l'Impératrice est tellement significative, c'est pourquoi nous la comprenons mieux que ne la comprenaient ses contemporains.

«Sissi ou la vulnérabilité»,
(propos recueillis en langue allemande
par Verena von der Heyden-Rynsch,
Paris, janvier 1983, version française de
Bernard Lortholary)
in *Vienne 1880-1938,
L'Apocalypse joyeuse*,
éditions du Centre Georges-Pompidou,
Paris, 1986

Maurice Paléologue: portrait de Sissi en psychasthénique

La notion de psychasthénique, inventée par Pierre Janet dans les années vingt, a disparu de la psychiatrie contemporaine, tout comme le mot «névropathique.»

Cette fois encore, la science médicale est en défaut. Les troubles bizarres, dont souffre Elisabeth, sont classés aujourd'hui comme une manifestation courante de l'état névropathique. Le mal étrange, qui l'affecte si péniblement, que le séjour de Madère semblait avoir guéri et que le retour à Vienne a soudain ranimé, n'est qu'une forme de la psychasthénie. Ce qui domine chez elle, c'est la gêne douloureuse et diffuse, la sensation coercitive, anxieuse et déprimante que lui font éprouver les contraintes de sa vie officielle; c'est une «phobie» analogue à cette peur des grands espaces qu'on nomme «l'agoraphobie» ou à celle des espaces étroits et fermés qu'on nomme la «claustrophobie». Pour employer le terme scientifique, c'est la «phobie des situations sociales». De toute façon, la diathèse héréditaire des Wittelsbach prédisposait Elisabeth aux maladies nerveuses : la forme particulière de sa psychose actuelle a été sinon déterminée, du moins conditionnée par le destin qui a fait d'elle une impératrice dans la cour la plus cérémonieuse et la plus figée d'Europe.

Maurice Paléologue

Bruno Bettelheim : portrait de l'impératrice en hystérique

Le grand psychanalyste américain d'origine viennoise se livre à une brillante et facile interprétation de l'anorexie et des conduites obsessionnelles d'Elisabeth qui anticipe l'œuvre de Freud.

Le mariage de François-Joseph avec Elisabeth, une très jeune princesse bavaroise, fut pour l'Empereur une grande affaire d'amour qui dura toute sa vie. Malgré les efforts qu'il fit pour la retenir, Elisabeth ne tarda pas à prendre ses distances à l'égard de l'Empereur et de la cour; cette situation s'aggrava à tel point que son époux et Vienne ne la virent plus que de loin en loin.

La vie de l'Impératrice manifestait les traits caractéristiques d'une nature narcissique, hystérique, et certains symptômes spécifiques de l'anorexie. Par exemple, pour rester belle (elle était à juste titre reconnue comme la plus belle femme d'Europe), Elisabeth se privait de nourriture. Elle suivait la plupart du temps des régimes draconiens, comme celui qui lui imposait de se contenter pendant des semaines de six verres de lait par jour. Elle se lançait souvent dans de grandes promenades, à une allure si vive que ses compagnons, épuisés, restaient à la traîne, et cela pendant sept, huit et même dix heures d'affilée. Comme certaines hystériques, telle l'héroïne que Schnitzler campa plus tard dans son roman *Mademoiselle Else*, l'Impératrice, qui voyageait toujours avec une quantité de malles tassées dans plusieurs wagons, et cela pour disposer à sa fantaisie des vêtements les plus beaux et les plus coûteux, effectuait ses expéditions pédestres toute nue sous une robe et, à la grande horreur de sa suite, elle ne portait pas de bas. Par ailleurs, elle protégeait souvent ses mains de trois paires de gants. Mais l'un des symptômes les plus évidents de sa névrose était ses voyages interminables et sans but précis à travers l'Europe. Maurice Barrès disait d'elle que ses pérégrinations n'avaient rien de la paisible régularité ni de la détermination des oiseaux migrateurs, et qu'ils étaient plutôt les errances d'un esprit déraciné qui bat des ailes sans se permettre ni repos ni dessein.

En 1871, lorsque l'Empereur lui demanda par lettre (comme presque toujours, elle était absente de Vienne) de lui indiquer le cadeau qu'elle aimerait recevoir pour sa fête, elle lui répondit, sans doute en se moquant d'elle-même : «Ce que j'aimerais par-dessus tout, c'est un asile de fous complètement équipé.» Elle était très sincèrement fascinée par la folie, sans doute parce que sa famille, les Wittelsbach, qui régnait sur la Bavière, comptait un bon nombre de malades mentaux. Tel était donc le comportement de l'Impératrice avant le terrible drame de Mayerling, et qui se prolongea avec plus de frénésie encore jusqu'au jour où, en 1898, à l'occasion de l'un de ses voyages, elle fut assassinée à Genève par un anarchiste. Son meurtre n'avait pas plus de sens que n'en avait eu sa vie.

L'intérêt porté à la folie, des exemples de l'impact destructif de la névrose et de l'hystérie pouvaient donc être constatés à la cour qui dominait alors tout ce qui se passait à Vienne, et cela bien avant que Freud décidât de consacrer sa vie à la compréhension des forces, jusque-là inconnues, responsables de ces troubles. La façon d'approcher l'étude de ces forces internes était propre à Freud, mais d'autres, avant lui, s'étaient intéressés à elles, particulièrement à la pathologie des pulsions sexuelles : Krafft-Ebbing, le très célèbre psychiatre autrichien, avait dès 1886 publié un ouvrage intitulé *Psychopathologie sexuelle* qui bouleversait les idées reçues sur le sexe.

Bruno Bettelheim,
«La Vienne de Freud»,
in *Vienne 1880-1938, op. cit.*

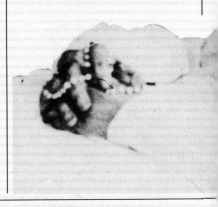

La vieille impératrice Charlotte sur son lit de mort : trente ans après l'assassinat de Sissi.

Version mexicaine : portrait de Sissi par sa belle-sœur Charlotte

L'écrivain mexicain Fernando del Paso fait parler la vieille impératrice du Mexique, devenue folle, morte en 1927, et qui s'adresse à son époux disparu.

Pourquoi crois-tu que Sissi a été assassinée par un maçon? Pourquoi crois-tu que ta belle-sœur l'Archange noir, par un après-midi limpide où le sommet du mont Blanc étincelait sous le soleil et où elle marchait en tenant le bras de la comtesse Sztaray sur les bords du lac Léman après avoir écouté, sortant d'une boîte à musique, l'ouverture de Tannhäuser, est morte comme elle devait mourir : avec un poignard planté dans la poitrine et avec le cœur débordant d'amertume parce qu'elle avait eu une fille bâtarde qu'elle n'a jamais revue et parce qu'elle savait que ce

n'était pas elle, l'Impératrice d'Autriche, mais Katherina Schratt, la maîtresse qu'elle-même avait jetée dans les bras de François-Joseph pour qu'elle lui attache le cœur avec des saucisses douces ou piquantes dans son Domaine de Felicitas, qui allait pleurer cet homme qu'elle avait tant voulu et jamais pu aimer? Pourquoi crois-tu que Luccheni n'a jamais trouvé le Duc d'Orléans, qui était celui qu'il voulait assassiner, mais qu'en revanche il a croisé sur son chemin au bord du lac l'Impératrice de la Solitude, la Sibylle de Corfou qui traînait de plage en plage, d'île en île, de Madère à Baden-Baden, de Lainz à Ischl,

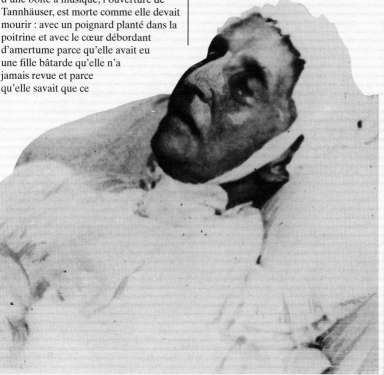

à Malte, à Palerme, au couvent de Paleocastrizza, le souvenir vivant de ton neveu, son fils Rodolphe, mort de sa propre main dans le pavillon de chasse de Mayerling? Pourquoi crois-tu qu'au cours des dix dernières années de sa vie Sissi s'est habillée de noir et a fui ton frère, a fui Vienne la ville maudite, a fui la vie, et que ni monter à cheval ou marcher en forêt jusqu'à en tomber de fatigue, ni manger de la viande crue et boire du sang de taureau, ni s'en remettre aux mains de masseurs et de coiffeurs, de professeurs d'escrime et de chasseurs de renards ne lui a jamais fait oublier le visage de son fils Rodolphe, sur le front duquel commença à couler, ramollie par la chaleur des cierges de la veillée funèbre, la cire rose qui bouchait le trou de la balle qui lui avait fait sauter la cervelle, pas plus qu'elle ne pouvait oublier que ce visage qu'elle contemplait chaque matin dans son miroir n'était plus l'image de la plus belle impératrice d'Europe, mais le portrait d'une vieille femme sur lequel la mort traçait chaque jour des sillons nouveaux pour y semer ses fleurs de charogne, qu'elle tentait en vain de cacher aux autres et à elle-même sous d'épaisses voilettes noires et dans l'ombre violette de ses ombrelles?

Fernando del Paso,
Des nouvelles de l'Empire,
Fayard, 1990

Serge Daney : Sissi impérautruche

Le critique de cinéma, mort du Sida en 1992, ressuscite la belle-mère d'Elisabeth et la réhabilite; ce dialogue ébouriffant s'en prend à l'immortelle série des Sissi, «émotion caramélisée et sentiments choucrouteux».

«Peut-on dire que Sissi ait ignoré la peur d'y voir clair? Certainement pas. Elle

L'archiduchesse Sophie, belle-mère de Sissi.

parle de la "mascarade intérieure" à laquelle elle doit se contraindre, ou encore de la "tête d'âne de nos illusions" qu'il nous faut caresser, caresser, sans cesse. Elle postule l'illusion, comme tous ceux qui ne se tuent pas, bien qu'ils aient percé à jour le néant de la vie, de cette "maladie", comme elle l'appelle.»

– Je trouve ces lignes remarquables, dit-elle en reposant le livre. Qui donc les a écrites?

– Vous ne pouvez pas le connaître, chère archiduchesse. Il s'agit d'un certain Cioran, un Roumain qui aime Sissi depuis toujours.

– Moi aussi, je l'aimais, dit l'archiduchesse Sophie. Cela vous paraît étrange, n'est-ce pas? Je suppose que vous avez vu ces films où on me donne le mauvais rôle.

– Majesté, je les ai vus, et je les tiens pour de grandes cochonneries.

– Et bien, dites-vous bien, continua l'archiduchesse rassurée, que si je ne m'étais pas dévouée pour y endosser le seul rôle négatif, il n'y aurait rien eu à raconter ni à filmer, pas de film, pas de Sissi, rien. Les scénaristes n'avaient pas d'idées.

J'étais content de recevoir l'archiduchesse Sophie, le seul personnage supportable de l'immonde série des Sissi. J'aimais la façon dont, seule, elle semblait excédée par la tonne d'émotion caramélisée et de sentiments choucrouteux qui, au milieu des années cinquante, avaient englanti l'Europe de l'Ouest. Sanglée dans une série de robes bleues, l'œil digne et narquois d'une Darrieux austro-hongroise, elle était, en 1956, la seule qui échappait – déjà ! – au consensus mou. Plus tard, j'en avais encore voulu à l'infecte trilogie de m'avoir donné d'un personnage aussi extraordinaire qu'Elisabeth de Bavière une image si délibérément cruche.

– J'ai souffert, croyez-moi, reprit l'archiduchesse. Souffert d'avoir joué (comme une chaussette) à la belle-mère pimbêche qui n'aime ni la bière, ni les Hongrois, ni la choucroute, et qui ne trouve rien de mieux à faire que de kidnapper l'enfant de sa bru au nom de la raison d'Etat ! Souffert de cette production autrichienne avec ses vieux routiers de la UFA, usés jusqu'à la corde par l'opérette viennoise et la comédie nazie.

Serge Daney,
*Devant la recrudescence
des vols de sacs à main,*
Aléas, 1991

Version d'un diplomate : Sissi en fée, l'empereur en rond-de-cuir.

Dans un essai sur François-Joseph, le comte de Saint-Aulaire, diplomate et écrivain, dessine avec brio les portraits de l'impératrice, de l'empereur et du prince héritier.

La vie d'Elisabeth est un effort désespéré pour s'évader de la tragédie – ou de la comédie – dans la féerie. Fée, elle l'est par la date de sa naissance : elle vient au monde en 1837 le jour de Noël, comme un don du ciel. Fée, elle l'est par son nom : quand on ne l'appelle pas Zizi, on l'appelle Cendrillon, car elle est la dernière née d'une nombreuse famille et ses parents la traitent en conséquence. Fée, elle l'est par sa grâce aérienne, par la clarté qu'elle répand autour d'elle, diaphane et translucide, comme si sous les rayons du soleil ou sous l'éclat de son diadème, elle en était la source. Fée, elle l'est par sa fraternité avec la nature : ses seuls trésors sont l'amitié des plantes et des bêtes, l'ombre enchantée des bois, les jeux de l'aurore et du crépuscule, le chant du rossignol sous la nuit étoilée. Elle trouve son élément dans les éléments : elle se plaît à nager comme une ondine, à courir en glissant plus qu'en marchant sur les bruyères fleuries, à fendre l'air sur un coursier vertigineux. Jeune fille, si on ne savait qu'elle porte en elle la lourde hérédité des Wittelsbach, on pourrait voir en elle, dans les brouillards allemands, une nymphe qui, la nuit, s'abrite au cœur d'un bouleau ou une naïade née d'une vapeur argentée sur les lacs de Bavière. Grande, élancée, ses mouvements si nobles et si naturels ont une grâce à la fois royale et animale. Sous la masse de ses cheveux châtain clair, sa petite tête pourrait être celle d'une déesse grecque

Elisabeth.

Rodolphe.

sans l'intense vitalité qui anime la perfection de ses traits, étincelle dans ses yeux tendres et farouches, dans son regard magnétique où passent toutes les nuances de la douceur et de l'ironie, de l'audace et de la pudeur, du rêve, de la gaîté, et de la pitié. [...]

Réfractaire en politique, l'archiduc Rodolphe ne l'est pas moins en morale. L'anarchie de son esprit gagne son cœur. Par ses dons et son déséquilibre, c'est un enfant de sa mère. Par l'usage qu'il fait de ses dons et par la forme de ce déséquilibre, c'est un enfant du siècle. Il se passionne pour toutes les idées nouvelles, sans les vérifier, uniquement parce qu'elles sont nouvelles, ou parce qu'il les croit telles. [...] Quand il découvrira l'imperfection de la nature

humaine, après avoir perdu les croyances qui l'expliquent et la corrigent, il flottera à la dérive sur l'océan des passions, sans boussole et sans ancre. Son amoralité vient, en partie, de la faillite de sa fausse morale, comme son modernisme est une réaction contre le traditionalisme ambiant. [...] De Prague où il est en garnison, il écrit en 1883 : «A Vienne, escroqueries, vols, hautes situations occupées par la racaille, brutalités, arbitraire, corruption, déchéance de l'Etat. Moi j'observe tout cela avec calme, curieux surtout de voir combien de temps il faudra à un vieil et solide édifice comme l'Autriche pour craquer et pour s'effondrer.» [...]

Ayant reçu le baptême de l'eau à cinq ans, François-Joseph reçoit à seize ans,

Fançois-Joseph.

en Italie, le baptême du feu, sans en faire jaillir l'étincelle divine. Ses maîtres développent au plus haut point les qualités morales : volonté, conscience, sang-froid, maîtrise de soi. Dans l'ordre intellectuel, ils développent surtout des qualités subalternes qui sont aussi des qualités morales : application, assiduité, précision. De toutes choses, ils lui donnent des notions plutôt que des clartés. Aucun effort n'est tenté pour éveiller en lui les deux facultés qui, dans toutes les sphères de l'activité humaine, sont les deux ailes du génie, ou qui y suppléent autant que possible : l'imagination qui, dans les cas où les précédents n'y suffisent pas, suggère les solutions, et la sensibilité qui, contrôlée par la raison, la prolonge jusqu'à

l'intuition. Comme militaire, François-Joseph est un adjudant par ses goûts et un colonel par ses connaissances. De même dans le civil. C'est ce qui, dans une formule trop pittoresque pour être rigoureusement exacte, fera dire à un diplomate accrédité auprès de lui : «L'Empereur ne cesse d'être une culotte de peau que pour devenir un rond-de-cuir.»

[…] Sur le plan intellectuel, avec son imposant bagage de notions positives et son indigence d'idées générales, avec son talent de bon rédacteur qui ne sera jamais un écrivain et cette absence de superflu si nécessaire au souverain d'un grand Empire, il reste un primaire supérieur. Il ne dépasse ce stade que par sa connaissance approfondie de langues étrangères qui, il est vrai ne sont pas le plus souvent pour lui des langues étrangères. Ce sont celles de ses peuples. Polyglotte remarquable, il les parle toutes comme sa langue maternelle. Il parle aussi le français sans accent et l'écrit sans faute. Le diplomate irrévérencieux que nous avons déjà cité dirait que les portiers des grands hôtels cosmopolites sont aussi des polyglottes extraordinaires, et qu'un grand nombre d'idées exprimées dans une seule langue dénote mieux la vigueur de l'esprit qu'une seule idée exprimée dans toutes les langues. En fait, le souverain de l'Autriche-Hongrie, cette hôtellerie de peuples étrangers les uns aux autres, en était le portier plus que le propriétaire, et c'est peut-être parce qu'il parlait leurs langues sans comprendre leurs idées assez bien pour les concilier qu'ils en partiront un jour sans payer la note après avoir mis le feu à l'établissement.

Comte de Saint Aulaire,
François-Joseph

Sissi en représentations

Jeune fille idéale, reine malheureuse, souveraine un peu folle, mère indulgente, diva d'opéra, héroïne de «musical», Sissi, ô paradoxe, s'identifie à la ville qui lui fit tant de mal : Vienne, objet de son ressentiment.

S issi impératrice : inusables, indéfiniment repassés sur tous les écrans d'Europe, les premiers films-culte figèrent l'image d'Elisabeth.

L'*Aigle à deux têtes* : Jean Cocteau s'inspira librement d'Elisabeth et de Luccheni dans l'un de ses plus beaux films : l'impératrice contraint l'assassin amoureux à l'exécuter. Ci-dessous : la cantatrice Kiri Te Kanawa (photo pour la *Chauve-Souris* de J. Strauss).

L*udwig* : dans son film consacré à Louis II de Bavière, Luchino Visconti (à gauche) sut seul retrouver une plausible image de la vraie Elisabeth. Son génie lui fit choisir Romy Schneider, plus belle encore dans sa maturité (ci-contre et ci-dessus).
Ci-dessous : Marguerite Jamois dans *Le Secret de Mayerling* de Jean Delannoy (1949).

La première officielle du ballet de Maurice Béjart *Sissi, l'impératrice anarchiste*, avec Sylvie Guillem dans le rôle titre, fut donnée à Londres le 25 mars 1993. Béjart cependant avait réservé au public de Lausanne, comme cadeau de Noël, en clôture de la saison du Rudra, la surprise et le plaisir d'assister au nouveau solo écrit pour la danseuse (à droite). D'abord revêtue d'une grande robe blanche de Gianni Versace rappelant le film de Visconti, elle apparaît ensuite dépouillée de tout ce faste, dans un dénuement symbolisant la Sissi «anarchiste» que Béjart voit en elle. Le critique Jean-Pierre Pastori, qui assiste au spectacle, écrit : «Nul doute [...] que Béjart fait présent d'un rôle exaltant à Sylvie Guillem. Mais en retour Sylvie Guillem lui offre un magnifique ballet.»

À gauche, en haut, la chanteuse Pia Douwes interprète Elisabeth dans une mise en scène de Harry Kupfer, au théâtre An der Wien; en bas, *Le Jardin transfiguré*, une pièce de Philippe Clévenot, avec Bérangère Bonvoisin dans le rôle d'Elisabeth.

BIBLIOGRAPHIE

Biographies de référence

- César, Egon, Comte Corti, *Elisabeth d'Autriche*, Payot, collection Prismes, Histoire, 1987, première édition française 1936. La première vraie biographie, par un témoin érudit et connaisseur.
- Des Cars, Jean, *Elisabeth d'Autriche ou la fatalité*, Librairie Académique Perrin, 1983. Un livre amoureux, documenté et séduisant, avec le ton juste sans détériorer l'histoire; nombreux documents inédits.
- Hamann, Brigitte, *Elisabeth d'Autriche*, traduit de l'allemand par Jean-Baptiste Grasset, avec la collaboration de Bernard Marion, Fayard, 1985. Une somme indispensable, objective et minutieuse, avec de nombreuses sources inédites. Les archives, les traductions et les recherches de Mme Hamann ont apporté à ce livre un témoignage précieux.

Témoignages

- Bled, Jean-Paul, *François-Joseph*, Fayard, 1987.
- Bled, Jean-Paul, *Rodolphe et Mayerling*, Fayard, 1992.
- Christomanos, Constantin, *Elisabeth de Bavière, impératrice d'Autriche*, Mercure de France, 1986. La première édition parut en 1905. La préface est de Maurice Barrès.
- De Metternich-Sandor, Princesse Pauline, *Eclairs du passé*, Vienne, 1922.
- Morand, Paul, *La Dame blanche des Habsbourg*, Librairie Académique Perrin, 1980.
- Sztaray, Comtesse Irma, *Aus den letzten Jahren der Kaiserin Elisabeth*, Vienne, 1909.
- Von Wallersee, Marie-Louise, comtesse Larisch, *Kaiserin Elisabeth und ich*, Leipzig, 1935.

Poèmes d'Elisabeth

- *Le journal poétique de Sissi*, éditions du Félin, 1998. Poèmes traduits de l'allemand par Nicole Canova, préface de Catherine Clément.

Publications récentes

- Hamann, Brigitte, *Meine liebe, gute Freundin*, édition de la correspondance entre François-Joseph et Catherine Schratt, Veberreuter, Vienne, 1992.
- Lucheni, Louis, *Mémoires de l'assassin de Sissi*, édition établie et présentée par Santo Cappon, Le Cherche Midi éditeur, 1998.
- Vogel, Juliane, *Elisabeth von Österreich, Momente aus dem Leben einer Kunstfigur*, Brandstätter, Vienne, 1992.

Autour de Vienne 1900

- Le Rider, Jacques, *Modernité viennoise et crises de l'identité*, PUF, perspectives critiques, 1990.
- Catalogue de l'exposition de *Vienne 1880-1938*, publications du Centre Pompidou.

Albums illustrés

- *Elisabeth, Portraits of an Empress*, présentés par Brigitte Hamann, Vienne-Munich, Amalthea, 1986.
- Chevrier, Raymond, *Sissi, vie et destin d'Elisabeth d'Autriche*, Minerva, Genève-Paris, 1987.
- Des Cars, Jean, *Sur les pas de Sissi*, Edition du Club France Loisirs, Perrin, 1989.
- «Schwalbe, leih'mir deine Flügel…», *Die Reisen der Kaiserin Elisabeth*, texte de Peter Müller, Editions Jugend und Volk, Vienne, 1991.
- *Sisis Familienalbum*, commentaires de Brigitte Hamann, Editions Harenberg, 1980.
- *Album Sissi*, textes de Lucienne Henchoz, Minerva, Genève-Paris, 1997.

Catalogues d'exposition

- Catalogue de l'exposition du Musée Historique de la ville de Vienne, *Elisabeth von Österreich, Einsamkeit, Macht und Freiheit*, Editions Wien Kultur, 1987.
- Catalogue de l'exposition du Musée de la Culture autrichienne *Elisabeth königin von Ungarn*, Editions Böhlau, 1991.

TABLE DES ILLUSTRATIONS

INDEX

CRÉDITS PHOTOGRAPHIQUES

AKG/Eric Lessing 1er plat. Alinari-Giraudon 11. ARC/Jean-Bernard Sieber 167. Bibliothèque nationale de France 5, 29, 54-55, 76h, 76b, 82, 88, 93, 104b, 129, 130, 147, 150, 153, 158, 160d, 161. Bildarchiv Preussischer Kulturbesitz 80b. Bridgeman Art Library 52. Cahiers du Cinéma 163h, 164hg, 164d, 165h. Cinémathèque française 165b. Ciné Plus 162h, 162b. DR 15h, 16, 20-21h, 36, 42-43, 44b, 57, 62b, 72-73, 79, 90, 95, 106g, 112-113, 115b, 116, 131, 141, 164bg. Dagli Orti Dos, 35, 37, 39d, 48h, 48-49, 62h, 68, 74-75, 98-99. Die Fotografin/Marianne Haller 34, 43b. Edimedia 18h. Edimedia/Andras Dabasy 33g, 78, 81, 83b, 85b, 86, 90-91, 91. Enguerand/Monique Lubinel 166b. Giraudon 111. Heeresgestliches Museum, Vienne 85h. Hôtel Beau Rivage, Genève 17, 32-33. Jean-Loup Charmet 22b, 23b, 27, 32-33h, 41, 67b, 124, 128, 143, 145. Jugend und Volk 2, 14h, 19g, 24h, 24b, 25h, 28, 99, 100-101. Kunsthistorisches Museum 40, 50-51. Lauros/Giraudon 69h. Magnum/Eric Lessing 13, 92, 94h, 101, 125. Musée de l'Assistance publique 121b. Musée historique de la ville, Vienne 31, 33b, 47, 53, 58-59, 60, 61h, 61b, 64, 64-65, 65h, 67h, 73hg, 94-95, 96h, 97, 100, 102, 106d, 109h, 109b, 110, 114, 120, 122b. Oberösterreichisches Landesmuseum, Linz 66. Österreichische Nationalbibliotek 1, 3, 6, 7, 26, 38, 40-41, 54, 63, 72hg, 80h, 83h, 98, 103b, 118d. P. Merienne 87. Photo Otto 122h, 123. Robert Lebeck 44-45h, 70h, 70b, 72hg, 73hd, 77, 103h. Roger Viollet 2e plat, 8-9, 12, 15b, 19d, 20-21, 20b, 22h, 23h, 29d, 30, 33d, 38-39, 46, 49d, 55, 56, 69b, 84, 88-89, 89, 96b, 104h, 105, 107g, 107d, 108, 113, 115h, 118g, 119, 121h, 134, 135, 136-137, 138-139, 142, 148-149, 155, 156-157, 163bg, 163bd. Rosegger Museum 71. Sirot-Angel 4, 18b, 21b, 112b, 144, 160g. Stadt Museum, Munich 42h, 42b, 46h. Stefan Liewehr (Theater An der Wien) 126-127, 166g. Wolfram Schmidt Fotographie, Regensburg 117.

REMERCIEMENTS

Les Editions Gallimard remercient les personnes et les organismes suivants pour l'aide précieuse qu'ils leur ont apportée dans la réalisation de ce livre : monsieur Claude Durand aux Editions Fayard, madame Florence Austin, madame Hélène Couza, madame Montant au musée Clémenceau, monsieur Robert Lebeck, l'archiduc Michael-Salvator Habsbourg-Lorraine, monsieur Eric Lessing, madame Linda Thiery, monsieur Victor Kabelka et les Editions Jugend und Volk, le docteur Ferdinand Fellinger et le docteur Susanne Walther au Musée historique de la ville (Vienne), le docteur Robert Kittler à l'Österreichische Nationalbibliothek (Vienne), madame Michelle Bohin et madame Sylvie Guillem du Béjart Ballet Lausanne.

COLLABORATEURS EXTÉRIEURS

La maquette du corpus de cet ouvrage a été réalisée par Catherine Schubert, celle des Témoignages et documents par Dominique Guillaumin. Odile Zimmerman a assuré le suivi rédactionnel.

Table des matières